Août 2010

GILLES DUCEPPE

Entretiens avec Gilles Toupin

À la douce mémoire de nos pères,

Jean Duceppe et Rosario Toupin

AVANT-PROPOS

DE GILLES DUCEPPE

Lorsque l'idée d'un livre d'entretiens a commencé à germer à l'occasion des réflexions devant nous mener au 20e anniversaire du Bloc Québécois, je me suis longuement interrogé. Pourquoi faire un livre à partir de mes réflexions, moi qui m'exprime si souvent, devant la presse ou encore à l'occasion des nombreux discours que je prononce chaque année ?

C'est à la suite des premières rencontres que j'ai eues avec Gilles Toupin que j'ai finalement saisi l'intérêt que pouvaient avoir ces entretiens, aussi bien pour moi que pour tous ceux et celles qui s'intéressent à la chose publique et à l'avenir du Québec. Le mot-clé, ici, c'est « entretiens ». Il s'agit d'un véritable dialogue avec Gilles, mais aussi avec ces vingt années si rapidement écoulées depuis ce jour d'août 1990 où je devenais le premier élu souverainiste aux Communes.

Dans le tourbillon de l'action politique, nous n'avons pas toujours le temps de réfléchir en profondeur aux événements passés et à leur signification. Nous sommes tournés vers le présent, vers l'avenir immédiat et, à l'occasion de grands discours de perspective qui demandent un intense travail de réflexion, vers l'avenir à plus long terme. Ces entretiens m'auront permis de revisiter ces vingt années de la jeune vie du Bloc Québécois.

Nos entretiens furent des moments privilégiés de réflexion et d'analyse, qui n'ont été rendus possibles que sur la base de la confiance et du respect que j'éprouve envers Gilles Toupin. Je l'ai d'abord connu pendant une décennie comme journaliste, moment au cours duquel j'ai pu apprécier sa rigueur, sa curiosité et sa grande civilité. Au cours de nos entretiens, j'ai ensuite découvert un souverainiste ardent, un passionné du Québec sous toutes ses facettes. Ce livre d'entretiens, dans ce qu'il a de meilleur, c'est beaucoup le sien.

A posteriori, trois choses me frappent plus particulièrement. D'abord, les succès incroyables de notre parti, une formation qui est née de façon presque spontanée, sans grande analyse, sur la base d'une nécessité, celle d'offrir aux Québécois une voix pour exprimer leurs aspirations nationales et qui permet aux souverainistes de voter selon leurs convictions au niveau fédéral. Personne n'aurait pu prédire, en 1990, qu'un parti politique ne prétendant pas au pouvoir serait en mesure d'obtenir six majorités électorales consécutives au Québec.

Cela signifie qu'au-delà des performances des uns et des autres, de la force des campagnes électorales ou des débats des chefs et au-delà des personnalités, et malgré l'impossibilité de prendre le pouvoir, un grand nombre de Québécoises et de Québécois réitèrent, élection après élection, qu'ils forment une nation différente, avec des valeurs et des intérêts différents. Il y a là toutes les apparences d'une faille fondamentale entre le Québec et le Canada, d'un fossé qui se creuse sans cesse, comme en font foi les nombreux contentieux sur la langue, la justice, la fiscalité, le poids politique du Québec, l'environnement, les valeurs mobilières et tant d'autres.

Ensuite, il y a le Canada. Au cours de nos entretiens, Gilles a souligné l'impression de plusieurs voulant que depuis vingt ans, rien n'avait changé. Le refus d'accorder au Québec le statut de « société distincte », qui était inscrit dans l'accord du lac Meech, ne s'est pas démenti depuis vingt ans. Mais ce dont je me suis aperçu avec une acuité toute particulière à la suite de nos entretiens, c'est que d'année en année, le *nation building* canadien se poursuit inexorablement. Vingt ans plus tard, on se rend bien compte que les Canadiens ne permettraient plus, aujourd'hui, à un nouveau Brian Mulroney de proposer de négocier une nouvelle entente avec le Québec. Cela est très significatif, puisque, au contraire de 1980 et de 1995, l'option du changement au sein même de la fédération – l'option du fédéralisme renouvelé – n'est plus crédible, ni au Québec, ni au Canada. Il s'agit d'un changement fondamental, dont les Québécois n'ont pas encore saisi toute la portée.

Finalement, il y a ce que j'ai nommé « les accélérations de l'Histoire » dans nos entretiens. Le parti qui forme le gouvernement canadien en 2010 a la plus faible représentation québécoise de l'histoire et constitue sans doute le pouvoir fédéral le plus éloigné du Québec depuis des décennies. Et il ne faut pas s'y tromper : les Canadiens ont donné une confortable majorité aux conservateurs en 2008. N'eût été du Québec, Stephen Harper aurait le champ complètement libre. Les nombreux gestes de ce gouvernement, de plus en plus inspiré des valeurs de la droite républicaine, constituent autant d'éléments qui éloignent le Québec du gouvernement fédéral.

Les succès du Bloc Québécois, le fossé qui se creuse continuellement entre le Québec et le Canada, les différends qui freinent notre développement et cet éloignement de plus en plus marqué entre le gouvernement fédéral et les Québécois, tout cela laisse présager une accélération de l'Histoire qui ouvrira la porte toute grande à la souveraineté du Québec. Vingt ans plus tard, nous devons continuer, persister et préparer ce pays qui marquera à la fois l'aboutissement et le renouveau du peuple québécois.

Gilles Duceppe

AVANT-PROPOS

DE GILLES TOUPIN

« Ce n'est pas si facile de devenir ce qu'on est, de retrouver sa mesure profonde. »

– Albert Camus

Vingt ans après son entrée sur la scène fédérale, le Bloc Québécois continue de démontrer hors de tout doute qu'il répond au profond besoin des Québécois d'une représentation au diapason de leurs intérêts et, surtout, qu'il défend ces mêmes intérêts par un travail acharné, rigoureux et efficace. Si les femmes et les hommes du Bloc n'avaient pas répondu aux attentes de la nation québécoise pendant toutes ces années, leur parti politique n'aurait pas été élu et réélu, élection après élection, en remportant toujours la majorité des sièges au Québec, reléguant les partis fédéralistes à la portion congrue de la vie politique québécoise. Sa pertinence, en apparence paradoxale au sein du Parlement d'une fédération dont il veut dégager la nation québécoise, n'est pas à démontrer, puisqu'elle s'appuie sur une valeur fondamentale commune aux Québécois et aux Canadiens, celle de la démocratie.

De plus, ceux qui renouent leur confiance au Bloc Québécois, élection après élection, ont compris que la lutte nationale ne doit pas se confiner à un seul théâtre d'opération.

Vingt ans plus tard donc, le temps est venu de poser un regard sur ces deux décennies fulgurantes pour la formation politique souverainiste. Menée pendant treize de ces vingt années par un quart-arrière, Gilles Duceppe, toujours aussi fougueux, passionné et qui s'est même gagné le respect de ses adversaires, le Bloc Québécois n'a jamais renoncé à son projet fondamental, celui de faire la souveraineté du Québec. En attendant, il fait avancer les intérêts du Québec en restant fidèle à un principe qui résume le sens de la mission qu'il s'est donnée : « *If it's good for Quebec, we'll support it. If it isn't, we will not* », avait déclaré Gilles Duceppe à un journaliste du *New York Times* pendant la campagne électorale de 2004.

De plus, comme vous le constaterez au cours de ces entretiens, les raisons de faire l'indépendance du Québec aujourd'hui sont plus nombreuses et plus « prononcées » qu'en 1980 et qu'en 1995.

L'idée de ces entretiens avec Gilles Duceppe ne repose pas uniquement sur le désir de faire un bilan ; elle a pris naissance également dans ce besoin de développer dans un seul ouvrage l'état d'une bonne partie de la réflexion du Bloc Québécois sur le présent et sur l'avenir du Québec. Les exigences de la vie publique font en sorte qu'un chef politique est, pour ainsi dire, collé jour après jour aux soubresauts de l'actualité. Il doit s'exprimer devant une presse dont l'asservissement à l'actualité quotidienne dicte trop souvent les voies à suivre. Il se doit alors d'être lapidaire, concis et percutant. Les points de presse aux Communes après la période des questions quotidienne ne favorisent guère non plus les longues réflexions et les nuances qui forgent et développent véritablement la pensée politique. Il en va de même pour les conférences de presse, même si elles sont en général plus étoffées. La formule des entretiens est éminemment plus satisfaisante puisqu'elle n'a pas à se soucier de limites de temps et de confinements thématiques.

Vous trouverez donc dans ces entretiens l'homme politique « rapaillé », pour reprendre ce mot qui seyait si bien à l'œuvre de Gaston Miron.

J'ai particulièrement apprécié, au cours de ces rencontres, la profondeur et la franchise de Gilles Duceppe. Même si certaines idées sur le Québec d'aujourd'hui et de demain sont encore en pleine gestation au sein du Bloc, M. Duceppe a eu la générosité de nous les confier, sachant parfaitement bien qu'elles risquaient de se transformer et d'évoluer après avoir terminé cet ouvrage. Le Bloc Québécois est ainsi en perpétuel chantier de réflexion sur tous les aspects de la vie politique et de la vie civique ; cette formation politique a horreur du surplace et de la facilité et elle l'a bien démontré depuis vingt ans. Elle est frondeuse et en questionnement constant. C'est l'une de ses grandes forces et cela est dû en partie au caractère particulier de Gilles Duceppe, un chef qui exige de ses collègues la plus grande probité intellectuelle lorsqu'il s'agit d'énoncer des faits et des prises de position politiques. Lui-même s'oblige à la nuance et à la prudence dans ses propos afin de donner aux réalités politiques leur juste mesure et afin que notre compréhension de leur complexité soit des plus complètes.

Pour moi, qui fus convaincu de la nécessité de réaliser la souveraineté du Québec voici bien longtemps, bien avant mes trente-huit années de journalisme au quotidien *La Presse*, alors que René Lévesque traçait, devant nous à la craie sur une grande ardoise dans l'auditorium du Cégep Maisonneuve à la fin des années soixante, les tenants et les aboutissants de la souveraineté-association, ces entretiens sont en quelque sorte une des manifestations d'une autre nécessité, celle de tenter de convaincre que la lente disparition de mon peuple n'est pas une fatalité.

Depuis mes premières rencontres avec Gilles Duceppe en 1997, alors que je fus nouvellement affecté au poste de chef du bureau de *La Presse* sur la colline Parlementaire à Ottawa, je souhaitais vivement avoir un jour une discussion de fond avec l'homme sur cette immense question de la souveraineté qui demeure, comme il le dira plus loin en ces pages, une affaire de cœur. Les aléas de la vie de courriériste parlementaire et les asservissements de l'information quotidienne ne m'ont jamais permis de réaliser ce souhait. Aujourd'hui, alors que je puis quitter la réserve que je me suis imposée pendant ma carrière de journaliste, le projet est devenu réalité.

Dès 1997, j'ai pu voir combien Gilles Duceppe a su peu à peu développer une grande aisance à affronter — le terme n'est pas trop fort — la presse parlementaire et à s'astreindre à une rigueur remarquable pour faire valoir les intérêts du Québec dans l'enceinte fédérale. J'avoue que je fus très souvent stupéfait aussi bien par la mauvaise foi de certains de ses adversaires que par la facilité de M. Duceppe à les désarçonner. Sa longue carrière de négociateur syndical à la Centrale des syndicats nationaux n'est certainement pas étrangère à ses grandes capacités de débattre, de peser et de soupeser les idées et de faire valoir avec brio sa vision d'un Québec souverain. Son milieu familial, sous la gouverne d'un père militant qui prônait un nationalisme responsable et ouvert et d'une mère qui n'avait pas la langue dans sa poche, a certainement contribué à lui donner l'assurance et les moyens de sortir vainqueur, comme il le fait, campagne électorale après campagne électorale, des débats télévisés des chefs.

Ces entretiens ont eu pour décor le bureau du chef du Bloc Québécois au Parlement du Canada à Ottawa. Ils se sont échelonnés sur plusieurs semaines avec des séances qui duraient en moyenne trois heures chacune. Le voyant jour après jour bien installé derrière son immense bureau dans l'encoignure d'une pièce aux magnifiques plafonds de boiseries lambrissées, je n'ai cessé de penser au cours de ces rencontres qu'il y avait une sorte de similitude entre la situation tout à fait particulière du Bloc à Ottawa et ce décor étonnant. Par la fenêtre, à la gauche de Gilles Duceppe, mon regard s'aventurait parfois vers les paysages luxuriants des vallées de l'Outaouais. Par la fenêtre de droite, la vue donnait sur une partie de la ville d'Ottawa et sur la province de l'Ontario, tout aussi verte en ce printemps 2010. Le chef bloquiste était pour ainsi dire assis aux confins des deux mondes qu'il souhaite non pas opposer mais bien réconcilier par un projet qui en ferait deux pays capables de vivre côte à côte en toute amitié dans le respect mutuel et dans un esprit de collaboration.

Nos conversations se sont déroulées avec la participation de France Amyot, la directrice du service des communications du Bloc Québécois, qui a été l'artisane bienveillante et la chef d'orchestre de ce projet. Madame Amyot a contribué de façon remarquable aux discussions, non seulement en déblayant l'orientation générale des entretiens mais en enrichissant ceux-ci de multiples interventions lumineuses. Je la remercie profondément.

Ce livre d'entretiens compte sept chapitres. D'entrée de jeu, Gilles Duceppe nous confie ce que signifie pour lui et son parti politique cette présence de vingt ans du Bloc Québécois au sein du Parlement fédéral. Il commente les événements marquants de ces deux décennies, notamment son accession à la direction du parti en 1997. Le séjour à Ottawa du Bloc est certes plus long que prévu mais cela importe peu en somme puisque l'Histoire est faite de maints exemples d'accélérateurs inattendus, comme le fut d'ailleurs l'échec de l'accord du lac Meech au début des années 1990. Depuis, le fossé s'est inexorablement creusé entre le Québec et le Canada. Le combat politique pour la souveraineté est en quelque sorte aujourd'hui le ferment qui mènera à l'avènement du pays. En fait, vingt ans c'est bien peu en regard de l'Histoire.

Le chapitre deux aborde la question de la position stratégique et tout à fait particulière du Bloc Québécois à Ottawa, un parti qui « inquiète toute la machine », comme l'écrivait Pierre Vadeboncoeur, et qui fait œuvre de résistance. Le troisième chapitre traite de cette relation surprenante de Gilles Duceppe avec le Canada et avec les Canadiens. Au cours de ses tournées dans les provinces canadiennes, le chef bloquiste a entamé un dialogue franc et ouvert avec les Canadiens. Au fil des ans, beaucoup d'entre eux se sont mis à l'écouter et à le respecter, voire à l'apprécier, allant jusqu'à rêver dans certains cas d'une version « ducépienne » locale. Mais le Canada du bilinguisme et des deux peuples fondateurs n'existe plus, constate le chef bloquiste qui n'en a pas moins la conviction que ce grand pays ferait un partenaire remarquable pour le Québec souverain.

Le chapitre quatre est une réflexion sur la nation québécoise, sur la citoyenneté québécoise et sur le combat que mène le Bloc Québécois à Ottawa pour atténuer l'érosion des pouvoirs du Québec dans le Canada. Le lecteur y constatera que la présence du Bloc à cet égard aux Communes est loin d'être inutile, contrairement à ce que clament certains fédéralistes, puisque la formation politique y a fait des gains vérifiables et importants pour le Québec, ce qui n'empêche pas de constater du même souffle que l'Assemblée nationale est loin de posséder tous les outils dont elle a véritablement besoin pour faire avancer comme il se devrait la nation québécoise.

Le cinquième chapitre traite des identités nationales dans le contexte de la mondialisation. Avec le durcissement des positions canadiennes face au Québec depuis l'échec de Meech, la seule voie de survie et de progrès pour le Québec, nous dit Gilles Duceppe, est la souveraineté ; pour participer activement aux grands ensembles de ce monde, il faut d'abord exister. Et notre existence n'est plus possible au sein d'un Canada qui rapetisse comme peau de chagrin la place du Québec ici et dans le monde. Le *statu quo* n'est pas viable.

Pour gagner dans le monde actuel, poursuit Gilles Duceppe dans l'avant-dernier chapitre, pour pouvoir mettre en place des politiques nationales faites sur mesure pour le Québec, pour que chaque génération puisse prendre les meilleures décisions pour le Québec, pour que le français demeure notre langue, il nous faut être maîtres chez nous. Le chef bloquiste nous livre ici ses réflexions sur ce que sera en somme une République du Québec, qu'il s'agisse de développement humain, de monnaie, d'environnement ou encore de politique étrangère.

Dans la conclusion, les entretiens bouclent la boucle en renouant avec ce qui demeure le fil conducteur de cet ouvrage, l'incapacité du Canada à offrir au Québec un projet emballant. Demeurer dans le Canada est assurément pour le Québec la voie la plus sûre vers l'appauvrissement. « Les Québécois doivent regarder la réalité en face et se défaire de leurs illusions », plaide Gilles Duceppe.

Ces entretiens révèlent que certains accélérateurs de l'Histoire ont déjà été activés. En 1980, le projet souverainiste tentait d'affirmer notre capacité d'émancipation. En 1995, il soutenait que nous pouvions faire aussi bien que si nous restions dans le Canada. Aujourd'hui, il affirme preuves à l'appui que le chemin de la prospérité et de l'épanouissement pour le Québec passe inexorablement par l'indépendance.

En terminant, je remercie Gilles Duceppe du fond du cœur pour s'être prêté à cet exercice. Il y a mis toutes ses convictions, sa passion, sa gentillesse et beaucoup de chaleur humaine. Je remercie également Stéphane Gobeil, le rédacteur de discours de M. Duceppe depuis une dizaine d'années, pour son aide. M. Gobeil connaît la pensée politique du chef bloquiste dans tous ses recoins. Il a participé au « deuxième tour » de ces dialogues afin d'aiguiller le chef vers certaines réflexions qui ont admirablement enrichi ce livre. Je ne peux non plus ne pas souligner le labeur fastidieux réalisé par ces artisans de l'ombre qui ont sué et peiné sur les enregistrements de nos conversations pour m'en fournir des transcriptions soignées. Je ne saurais enfin conclure sans remercier Pierre-Paul Roy, l'ami et le premier conseiller de Gilles Duceppe, pour la confiance témoignée en me chargeant de cette mission.

Gilles Toupin

17 mars 1997 – Élection de Gilles Duceppe à la chefferie. Le nouveau chef du Bloc Québécois est entouré de ses deux enfants, Alexis et Amélie, et de sa conjointe, Yolande Brunelle.

I

L'ACCÉLÉRATION DE L'HISTOIRE

« C'est le sens un peu de l'Histoire actuellement. Les Québécois et les Québécoises se donnent des moyens. Le moyen privilégié à Ottawa, et intérimaire, je le rappelle, c'est le Bloc Québécois. [...] Le jour où il y aura une élection fédérale, si le processus de souveraineté n'est pas terminé, soyez sans crainte, on aura des candidats et des candidates dans l'ensemble des comtés au Québec. Je crois que le résultat sera plutôt semblable à celui qu'on a eu ce soir. »

– Gilles Duceppe, premier élu de l'histoire du Bloc Québécois avec près de 67 % des voix, à l'émission *Le Point* de Radio-Canada, le 13 août 1990.

☐ ***Vingt ans déjà Gilles Duceppe ! Vingt ans ! Depuis ce 13 août 1990, alors que Radio-Canada vous déclarait premier élu de l'histoire du nouveau Bloc Québécois, beaucoup d'eau a coulé sous les ponts de la rivière des Outaouais. Vingt ans plus tard, le Bloc – un parti qui se bat pour l'indépendance du Québec – fait entendre avec force la voix du Québec au Parlement fédéral du Canada. Quel est aujourd'hui votre état d'esprit face à ce parcours ?***

Le parcours est plus long que prévu, il va sans dire. Mais, à travers les étapes et les obstacles qui ont façonné ces deux incroyables décennies, je suis demeuré tout autant convaincu que je l'étais à l'époque de l'incontournable nécessité de faire du Québec un pays souverain. Je vous dirais même qu'aujourd'hui le Québec a encore plus de raisons de se battre pour accéder à l'indépendance qu'en 1990.

Je suis demeuré tout autant convaincu que je l'étais à l'époque de l'incontournable nécessité de faire du Québec un pays souverain.

Lorsque je scrute ce parcours, je me rappelle que cela n'a pas été facile dans toutes les situations. Encore aujourd'hui, certains me demandent parfois si j'ai des doutes. Je leur réponds immanquablement : « Heureusement que j'en ai ! » Quelqu'un qui n'a plus de doute, c'est quelqu'un qui ne se pose plus de questions. Et lorsque l'on ne se pose plus de questions, on n'avance plus. Peut-être suis-je encore imbibé de ma vieille formation du cours classique, mais je pense que dans un parcours à la fois aussi tourmenté et aussi heureux que ces vingt années du Bloc Québécois, il y avait et il y a encore une obligation de douter. C'est une nécessité du combat politique.

☐ ***Vous voulez dire que pendant toutes ces années vous n'avez cessé de remettre en question le bien-fondé de vos actions ? Êtes-vous allé jusqu'à douter de votre choix fondamental, celui d'un Québec souverain ?***

Pendant toutes ces années, je me suis astreint à l'obligation de repenser sans cesse mon action. Je ne me suis plus jamais redemandé cependant s'il serait bon pour le Québec de lui façonner un destin politique au sein du Canada. Pour moi, de ce côté, la porte est irrémédiablement close. Il n'y a aucune chance que je revienne à cette idée. Et – je tiens à le préciser – je ne blâme pas les Canadiens pour cela. Les Canadiens agissent en tant que majorité et selon ce qu'ils veulent se donner comme pays. Et dès lors que nous, de notre côté, avons la conviction que le fédéralisme est un cul-de-sac pour la nation québécoise, nous n'avons d'autre choix que de faire en sorte que notre projet se réalise. Je ne veux pas que la nation québécoise disparaisse. Nous n'avons d'autre choix que de nous dire collectivement : « Continuons ! »

☐ ***Vous dites que le parcours est plus long que prévu et que cela n'empêchera pas le mouvement souverainiste de poursuivre la lutte. Ne trouvez-vous pas quand même décourageant, vingt ans après la création du Bloc Québécois, que le Québec ne soit pas encore le maître politique absolu de son destin ?***

Je dis souvent que l'Histoire est imprévisible. Nous pensons à long terme, nous pensons que nous allons atteindre notre objectif, mais nous ne pouvons dire avec précision quand cela se produira, à quelle date cela se produira. Ces temps-ci, je cite beaucoup Yogi Berra[1] en affirmant que c'est mon philosophe

1 Lawrence Peter « Yogi » Berra, ancien joueur de baseball de la Ligue majeure de baseball qui fut receveur et gérant avec les Yankees de New York. Il a été introduit au Temple de la renommée en 1972.

favori. Yogi Berra disait : « C'est difficile de faire des prédictions, surtout en ce qui concerne l'avenir. » Mais, plus sérieusement, il y a, dans l'Histoire, des décennies qui ne valent pas une journée et il y a des heures qui valent plusieurs décennies.

Quand le mur de Berlin est tombé, c'était comme si l'Histoire s'était accélérée soudainement, comme si plusieurs décennies avaient été compressées en quelques jours. Si cette formidable transformation s'est produite à ce moment-là en Allemagne, alors que pendant des décennies tout avait paru immobile, c'est qu'en réalité, au-delà des apparences, en coulisses, beaucoup de choses se tramaient. C'est ainsi dans tout combat et il en est de même pour l'avènement de la souveraineté du Québec.

Je sais que dans ce brouhaha de l'action quotidienne – ce brouhaha qui nous empêche de voir la ligne d'arrivée – les gestes que nous posons porteront un jour leurs fruits.

Lorsque je regarde ce qui se passe au Québec et au Canada, je vois que la question de la langue revient sans cesse, comme le démontre le débat autour de la loi 104 sur les écoles passerelles. Il y a dans tout cela des éléments qui pourraient déclencher une accélération de l'Histoire, comme ce fut le cas à Berlin en 1989, sans pour autant comparer les deux situations. Avec l'assaut de la Cour suprême contre la loi 104, avec ces études et analyses qui confirment le recul du français à Montréal, le Québec devra probablement se rabattre sur la clause nonobstant. Pour préserver la loi 104, nous pouvons bien sûr appliquer la loi 101 aux écoles privées, mais dès qu'il y aura des contestations judiciaires, nous n'aurons pas le choix. D'ailleurs, il n'est pas dit que la clause nonobstant permettrait de boucher complètement l'échappatoire. Tout cela risque donc de déclencher les passions, mais nous ne mettrons pas notre existence en jeu pour ne pas déplaire au Canada.

Et il y a aussi la question de l'énergie. Michael Ignatieff voudrait, par exemple, que le gouvernement fédéral bâtisse des lignes de transport électrique d'un océan à l'autre, ce qui pourrait signifier, à terme, une mainmise fédérale sur notre hydroélectricité. Pour sa part, le gouvernement de Stephen Harper voudrait que le gouvernement fédéral finance la construction de centrales nucléaires et Danny Williams, le premier ministre de Terre-Neuve, est en guerre contre le Québec sur la question de l'énergie. La tentation est forte au Canada de prendre le contrôle de l'énergie électrique. Et cela, les Québécois ne le permettront jamais.

Et puis le Canada est devenu une sorte d'État pétrolier, ce qui entrave le Québec dans ses efforts pour se débarrasser du pétrole et réduire ses émissions de gaz à effet de serre. Pourtant, s'il y a un projet collectif porteur, un projet de société digne de la nationalisation de l'électricité, c'est bien celui de faire du Québec le premier endroit en Amérique du Nord qui aura accompli sa révolution énergétique : construire une économie la moins dépendante possible du pétrole.

Et il y a la politique étrangère du Canada, de plus en plus distante des valeurs du Québec. Aussi, la volonté des partis fédéralistes de réduire le poids politique du Québec. La question des valeurs mobilières avec ce projet fédéral d'une commission pancanadienne unique décriée haut et fort par tout le Québec démontre bien que nous sommes en train de nous faire dépouiller de tous nos pouvoirs.

Bref, il y a tout un tas de dossiers qui pourraient faire des flammèches et embraser le climat politique. À la racine, cela tourne toujours autour d'une réalité fondamentale : il y a deux pays dans ce pays et c'est toujours le Québec qui est perdant.

À la racine, cela tourne toujours autour d'une réalité fondamentale : il y a deux pays dans ce pays et c'est toujours le Québec qui est perdant.

☐ ***Donc, selon vous, malgré les apparences, les choses ont évolué depuis vingt ans ?***

Bien sûr ! En vingt ans, les choses ont évolué. J'ai effectué une tournée du Canada en avril dernier, je vois ce qui se passe aux Communes, j'ai pris connaissance du récent sondage réalisé par le sociologue Pierre Drouilly[2] : les résultats montrent bien qu'il y a un durcissement de l'opinion canadienne face aux demandes du Québec. Cela signifie que les fédéralistes ne peuvent plus promettre du changement. Ce n'est plus crédible. Cela change drôlement la donne, car, dans un prochain débat référendaire, tout ce que les fédéralistes pourront promettre c'est le *statu quo*, soit un recul inévitable pour le Québec. Tout cela laisse présager une accélération de l'Histoire. Vous verrez ! Cela se produira vraisemblablement lorsque le Parti Québécois reprendra le pouvoir.

☐ ***Vous dites que le Canada a fermé la porte, mais en même temps, le Parti Québécois a un plan qui prévoit engager des batailles pour récupérer des pouvoirs. N'est-ce pas contradictoire ?***

Pas du tout. Le Québec n'a pas à se définir par rapport à ce que le Canada veut ou ne veut pas. Nous devons avancer. Nous devons continuer à travailler ensemble autour des questions névralgiques pour l'avenir du Québec et aller de l'avant. Et on ne doit pas reculer sur les enjeux les plus fondamentaux pour notre nation.

Actuellement, le gouvernement en place à Québec se refuse à affronter le Canada pour faire valoir les aspirations

2 1001 répondants au Québec et 1007 au Canada, hors Québec. Les entrevues ont été réalisées du 18 mars au 6 avril 2010 par repère communication recherche. Analyse : Pierre Drouilly et Pierre-Alain Cotnoir. http://www.blocquebecois.org/dossiers/colloque-20-ans-apres-Meech/sondage.aspx

du Québec qui sont quand même partagées par une grande majorité de Québécois. Ce gouvernement n'ose pas affronter le Canada, car il sait qu'il essuiera un refus. Avec un gouvernement souverainiste à Québec, un gouvernement du Parti Québécois déterminé, la situation sera complètement différente, car la fermeture du Canada brisera l'illusion et ouvrira la porte à la souveraineté du Québec.

☐ ***Je reviens sur la clause dérogatoire de la Constitution canadienne. Vous en parlez comme si c'était un péché !***

Mais non, ce n'est pas un péché. Ce que je dis c'est : « pas nécessairement la clause nonobstant, mais la clause nonobstant si nécessaire ». Premièrement, il est écrit dans la Constitution que l'utilisation de la clause nonobstant est un droit. Deuxièmement, le plus grand nonobstant de l'histoire du Canada a été proclamé en 1982 quand le gouvernement fédéral a rapatrié la Constitution, nonobstant la volonté des Québécois. Ottawa ne s'est pas gêné ! Alors, pourquoi nous gênerions-nous, d'autant plus que c'est inscrit dans la Constitution ?

Ce que je dis, en rapport avec une certaine lenteur du déroulement des événements depuis vingt ans, c'est que des situations comme celle-là vont relancer le débat sur la souveraineté. Et c'est déjà commencé. Ne sommes-nous pas aussi en train de débattre de la place du Québec au sein de la fédération ? Ottawa tente de remanier la carte électorale de façon à ce que le poids du Québec diminue encore au sein du Canada. Ne constatons-nous pas que le gouvernement fédéral a clairement choisi le camp des pétrolières plutôt que celui de l'environnement ? Ne voyons-nous pas à l'heure actuelle, lorsqu'il s'agit de régler des questions économiques plus fondamentales avec Ottawa, que le Québec, du fait de son statut minoritaire, sort de plus en plus perdant de ces affrontements ? Les ingrédients d'une relance du débat sur la souveraineté sont là.

Ce débat sera évidemment différent de ceux du passé. Il est plus près du débat de 1995 que de celui de 1980 alors qu'il n'y avait pas d'ALÉNA[3] et que l'Union européenne n'était pas ce qu'elle est devenue. Il n'y avait même pas de libre-échange Canada–États-Unis alors que tout cela existait en 1995 et que cela existe toujours aujourd'hui. Les questions de politique internationale prennent également plus de place maintenant qu'elles n'en prenaient dans le passé. Et quant à la place des identités nationales, dans le contexte de la mondialisation, elle est de nos jours plus importante qu'avant. Et puis, je le répète, il y a la question des changements climatiques et de l'énergie. Il y a vingt ans, on ne voyait pas de collision frontale se dessiner entre le Québec et le Canada là-dessus. L'heure de l'indépendance peut donc sonner assez rapidement pour la simple raison que ce genre de circonstances peut contribuer à accélérer l'Histoire et que le travail de préparation a été fait et continue de se faire.

□ ***Je suis étonné quand même que vous ne soyez pas plus déçu que cela que le Bloc Québécois n'ait pas eu une vie plus courte, qu'il n'ait pas réussi en vingt ans à faire avancer plus rapidement la cause souverainiste.***

Nous aurions aimé, bien entendu, que cela se fasse plus vite. Mais est-ce à dire que nous avons vécu vingt années de déceptions ? Pas du tout ! J'ai appris, ici à Ottawa, ce qu'était un vrai pays, un pays souverain en raison de ce qui se discute aux Communes. On y parle d'attributs de la souveraineté. On y discute de sujets qui sont peu discutés à l'Assemblée nationale et qui sont pertinents à un État souverain, comme les grandes questions internationales par exemple. Et quand le

3 Accord de libre-échange nord-américain (janvier 1994).

mot « Canada » est prononcé, on constate, d'un bout à l'autre du spectre politique, qu'il s'agisse du Parti réformiste, de l'Alliance canadienne, des conservateurs, des libéraux ou du NPD, que tous sont unis autour de cette idée du Canada. Au-delà de leurs divergences économiques, sociales ou philosophiques, *they're all Canadian* et ils se tiennent. C'est ce qui fait leur force et c'est ce qui fait notre faiblesse, encore, au Québec, puisque nous nous refusons de concrétiser totalement cette mobilisation autour de notre nation.

Je me suis aperçu de cela ici parce qu'au Québec nous disons : « Moi, je serais bien pour un Québec souverain, mais à la condition qu'il soit à gauche. » Je n'ai jamais entendu un néo-démocrate à Ottawa dire : « Moi, je suis pour le Canada, mais à la condition qu'il soit à gauche. Et si, un jour, il n'est pas assez à gauche et que, au même moment, les États-Unis s'orientent à gauche, je m'en irai aux États-Unis. » Je n'ai jamais entendu cela, jamais, jamais. Car les Canadiens savent ce que c'est que d'avoir un pays ; ils ont cette conscience. Nous, au Québec, nous n'avons pas encore cette conscience.

□ *Qu'avez-vous appris d'autre à Ottawa ?*

J'ai appris aussi que la politique à Ottawa est des plus intéressantes pour un souverainiste, parce qu'on y discute de la politique d'un État souverain. La première fois que vous dites cela, tout le monde s'étonne. Je réponds alors que si la politique à Ottawa – qui est la politique d'un État souverain – n'est pas intéressante, alors pourquoi voudrions-nous devenir un pays ? Nous voulons un pays justement pour nous occuper nous-mêmes de ces grandes questions que sont la politique étrangère, la défense, les grandes questions économiques et environnementales qui sont discutées sur la scène internationale. Il y a beaucoup de ces questions qui se règlent à un autre niveau qu'à l'Assemblée nationale. C'est pour cela aussi que nous voulons notre propre pays.

Si nous étions maîtres chez nous, nous devrions traiter de ces grandes questions, en assumer l'entière responsabilité. Et nous verrions que la période des questions à l'Assemblée nationale prendrait une autre tournure. Cette petite heure dans la journée parlementaire serait consacrée, en plus des questions essentielles que sont la santé, l'éducation ou les finances, aux grandes priorités internationales : les conflits comme la guerre en Irak ou en Afghanistan, les grands traités internationaux, la prolifération nucléaire.

□ ***Avant de vous retrouver à Ottawa, il y a bien évidemment eu tout un cheminement. Vous avez profondément cru à la Révolution tranquille, vous êtes devenu indépendantiste en 1967 en raison du grand virage de René Lévesque, vous avez travaillé pour Robert Burns[4] en 1970, vous avez même songé en 1970 à sauter dans l'arène politique à l'âge de 23 ans avant de flirter quelque temps avec l'extrême gauche. Mais ce n'est qu'en 1990 que vous avez fait le grand saut. Si la politique vous passionnait tant, pourquoi avoir attendu vingt ans avant de vous lancer ?***

Lorsque j'ai pris ma décision en 1990 de me présenter candidat pour le Bloc, je me sentais prêt. En 1970, lorsque René Lévesque cherchait désespérément quelqu'un dans Sainte-Marie, j'ai songé à faire le saut, mais je n'étais pas prêt et je ne voulais pas non plus être élu tout simplement parce que j'étais le fils de Jean Duceppe. Ce fut une bonne décision de ne pas me jeter prématurément dans la mêlée, une décision qui m'a valu vingt ans de maturation et d'apprentissages divers. Oui, j'ai beaucoup appris pendant ces deux décennies. Ainsi,

4 Robert Burns, député du Parti Québécois de la circonscription de Maisonneuve de 1970 à 1979, a été membre du gouvernement de René Lévesque de 1976 à 1979.

en 1990, je me sentais prêt et je me suis dit : « Papa n'en a pas pour longtemps, il sera très fier de voir que son fils se lance, alors il faut que je fonce maintenant. » C'était décidé, je faisais le saut.

☐ ***Vous vous souvenez des circonstances précises ?***

Pierre-Paul[5] était de passage à Montréal. Yolande, ma conjointe, et moi l'avions invité à souper à la maison. Nous avions discuté de l'élection partielle qui allait avoir lieu dans Laurier–Sainte-Marie. Je trouvais que le scénario qui était en train de se dessiner n'avait pas de bon sens. J'étais certain que les accords du lac Meech ne passeraient pas et que les libéraux allaient remporter la circonscription. Pour moi, cela n'avait aucun sens. Les gens, en colère contre le premier ministre Brian Mulroney, allaient voter pour Jean Chrétien. Lucien Bouchard venait de quitter le Parti progressiste-conservateur et j'étais convaincu qu'il lancerait à tout le moins un mouvement.

Lorsque j'ai dit à Pierre-Paul que je voulais me présenter, il n'était pas sûr du tout que je prenais là une bonne décision. Yolande, de son côté, penchait pour que j'y aille. Une fois Pierre-Paul rallié, je me sentais conforté dans ma décision.

Ce fut une bonne décision de ne pas me jeter prématurément dans la mêlée, une décision qui m'a valu vingt ans de maturation et d'apprentissages divers.

À l'époque, j'étais à la CSN et en pleine négociation des conventions collectives du secteur de l'hôtellerie. Je n'avais pas le temps de faire les démarches pour devenir candidat. Après

5 Pierre-Paul Roy, aujourd'hui conseiller spécial du chef du Bloc Québécois, a notamment occupé les fonctions de chef de cabinet de Lucien Bouchard et de chef de cabinet de Gilles Duceppe.

bien des péripéties, j'ai appelé Benoît Tremblay[6] pour qu'il informe Lucien Bouchard de mon intérêt. Nous nous sommes rencontrés, Lucien et moi, et le courant est vite passé entre nous. Quelques jours plus tard, M. Bouchard m'annonce qu'il aimerait que je sois candidat. Je lui réponds oui, mais à la condition que je puisse terminer mes négociations. Il tente de m'en dissuader. « Si j'accepte et que je lâche quelque chose que je suis en train de faire, lui ai-je dit, à votre place, je n'aurais pas confiance en moi. Je pourrais lâcher n'importe quand. Je me suis engagé à finir ces négociations, alors je vais les finir. » Et j'ai bouclé avec succès ces négociations le 9 juillet 1990. Le 11 juillet, j'étais candidat dans Laurier–Sainte-Marie. Ce fut pour moi le commencement d'une grande aventure au sein du Bloc Québécois.

☐ ***Est-ce que les raisons qui ont motivé votre entrée en politique en 1990 se sont transformées au cours des ans ou êtes-vous fidèle à vos premières convictions ?***

Je suis toujours resté fidèle à mes premières convictions. Mais, au cours des années, notre pensée au Bloc s'est transformée de façon à apporter d'importantes contributions au débat politique. Trois de ces contributions sont pour moi particulièrement importantes.

La première a été de faire comprendre au reste du Canada que les souverainistes ne sont pas des extrémistes dangereux dépourvus de toute rationalité. Je pense que nous avons marqué des points à cet égard. Nous avons acquis dans le reste du Canada une crédibilité certaine.

La deuxième, c'est l'ouverture. D'abord en affirmant que la souveraineté n'était pas un projet contre le Canada, mais

---

6 Député fédéral de Rosemont (1988-1997) : au Parti progressiste-conservateur (1988-1990) ; après l'échec de Meech, il devient membre du caucus du nouveau Bloc Québécois.

bien pour le Québec. Ensuite, en invitant tous les Québécois, peu importe leur origine, à se joindre à nous. Nous avons travaillé très fort de ce côté et l'idée d'indépendance a fait des percées dans les communautés culturelles. Des gens d'origines diverses se sont joints à nous et ont été élus pour la première fois sous notre bannière. Je pense à Osvaldo Nunez, à Maria Mourani, à Vivian Barbot, à Meili Faille, à Ève-Mary Thaï Thi Lac, à Maka Kotto et à Bernard Cleary, le premier autochtone québécois élu au Parlement fédéral depuis 1921.

La troisième contribution, a été de développer une grande maîtrise de dossiers qui sont l'apanage des pays souverains et de montrer que le Québec a une vision originale que nous pourrons mettre de l'avant lorsque nous serons un pays.

Et puis, la troisième contribution, peut-être la plus importante, a été de développer une grande maîtrise de dossiers qui sont l'apanage des pays souverains et de montrer que le Québec a souvent une vision différente des choses, une vision originale que nous pourrons mettre de l'avant lorsque nous serons un pays.

☐ ***Mais en 1990, vous avez tout de même décidé, tout en étant souverainiste, de vous présenter dans une circonscription fédérale et non pas provinciale. Il devait bien y avoir une raison fondamentale à cela ?***

Il y avait bien sûr un fort mouvement pour la souveraineté au Québec et nous nous disions que nous ne pouvions laisser les libéraux de Jean Chrétien occuper toutes les places du Québec à Ottawa. Après l'affront de Meech, allions-nous vraiment, en plus de cela, faire élire un libéral de la troupe de Jean Chrétien – l'homme de la nuit des longs couteaux – dans cette circonscription, en l'occurrence à l'époque Denis Coderre? C'était le pire des scénarios. Chrétien nous aurait nargués. Il se serait moqué de nos critiques en nous rappelant à chaque détour que c'est son homme qui avait gagné dans Laurier–Sainte-Marie, que notre mécontentement n'avait aucune légitimité. Nous ne pouvions laisser faire cela. Nous avons compris à ce moment-là que la lutte nationale se devait d'avoir plus qu'un théâtre d'opérations.

□ ***Est-ce que ce 13 août 1990 vous semble loin aujourd'hui?***

Nous avons compris à ce moment-là que la lutte nationale se devait d'avoir plus qu'un théâtre d'opérations.

Quand je suis plongé dans l'action, que je regarde ce que je fais ici, à Ottawa, cela ne me semble pas loin. J'ai l'impression qu'il n'y a pas si longtemps que nous sommes là. Mais lorsque je regarde mon fils et ma fille, qui à l'époque avaient 11 et 16 ans et qui aujourd'hui sont dans la trentaine avec de jeunes enfants, je me rends compte du temps qui s'est écoulé. Ce 13 août 1990 me semble alors très loin.

□ ***Malgré toutes les raisons que vous avez évoquées pour vous lancer aux côtés de Lucien Bouchard à l'époque, ne craigniez-vous pas tout de même de faire une folie?***

C'était l'inconnu. Complètement!

□ ***Vous saviez très bien que vous ne pourriez jamais être ministre.***

Nous ne nous préoccupions pas de cela. Il n'y avait pas de plan de match. Le 13 août, c'était tout simplement : « Ce n'est pas vrai que l'on va laisser toute la place à Chrétien. Nous gagnons d'abord les élections et après cela nous nous organisons. » Il faut avouer, rétrospectivement, que nous formions un petit groupe hétéroclite, que nous n'étions pas encore un véritable parti politique. Mais nous avons été vite happés par l'action.

Il y a eu tout de suite la commission Bélanger-Campeau et ensuite Bourassa qui, au lieu d'en suivre les recommandations, se lance dans les négociations de Charlottetown pour tenter de trouver un autre accord constitutionnel. Nous avons immédiatement et naturellement collaboré avec le Parti Québécois. Nous nous sommes vite jetés dans la campagne contre les accords de Charlottetown. Il y eut ensuite les élections fédérales d'octobre 1993, où nous avons remporté 54 sièges, les élections générales au Québec en 1994 et le référendum de 1995.

Par la force des choses, nous avons réalisé que le travail concerté du Parti Québécois et du Bloc, ça donnait en fin de compte une force de frappe politique redoutable. C'est encore le cas aujourd'hui. Même avec le Parti Québécois dans l'opposition, la moitié des élus du Québec (à Ottawa et à Québec) sont des souverainistes. Dès que le Parti Québécois reprendra le pouvoir, nous aurons une majorité d'élus, au Québec, qui seront des souverainistes.

☐ ***Meech a donc été un moment décisif pour vous et pour l'avènement du Bloc Québécois. S'il n'y avait pas eu ces négociations constitutionnelles et l'échec qui s'en est suivi, seriez-vous aujourd'hui en politique ?***

Il est exact de dire que l'échec de Meech a joué un rôle central dans mon cheminement politique. Mais même sans Meech j'aurais fait de la politique. De quelle manière ? À quelle occasion ? Je n'en ai aucune idée.

Même avant l'échec de Meech j'étais convaincu que le seul projet véritablement émancipateur pour le Québec demeurait la souveraineté. Ainsi, si l'élection partielle de 1990 dans Laurier–Sainte-Marie avait été une élection complémentaire comme les autres, sans ce moment de rupture que fut Meech, je ne suis pas certain que j'aurais été là. J'aurais peut-être fait de la politique municipale avec mon ami Jean Doré. Une chose est certaine, j'avais depuis longtemps le goût de faire de la politique.

☐ ***Donc, le moment fondateur du Bloc Québécois s'appuie sur un concours de circonstances, sur l'échec d'un accord constitutionnel prévisible, selon vos propres mots, alors qu'en même temps vous affirmez que les termes de cet accord avaient peu de substance. Si je vous comprends bien, le Bloc n'est pas né en raison du rejet des accords de Meech par Terre-Neuve et par le Manitoba ?***

Ce qu'il faut comprendre, c'est que Meech était la concrétisation d'une rupture plus profonde. Tels que l'on présentait ces accords aux Québécois, ils pouvaient sembler acceptables pour beaucoup d'entre eux. Ils avaient l'impression qu'enfin le Québec était reconnu. Les Québécois espéraient être reconnus, mais en réalité, le reste du Canada leur disait : « Nous vous reconnaissons tels que vous êtes maintenant, c'est-à-dire une province comme les autres, mais pas davantage. »

C'est là que se trouve la rupture profonde, entre la réalité telle qu'elle était perçue au Québec et cette autre réalité qu'était la perception du Canada. Il était tout à fait réaliste de penser à l'époque que Meech n'aurait pas été la ligne d'arrivée pour le Québec, mais bien le point de départ d'autres revendications légitimes. Pour Mulroney, Bouchard et même Bourassa, pour le Québec, cela était vu comme la clé dans la serrure qui ouvrirait la porte à de nouvelles négociations. Pour le reste du Canada, c'était la clé dans la serrure pour verrouiller la porte une fois pour toutes.

Et ce fossé, je peux vous dire qu'il s'est creusé encore davantage depuis vingt ans. Comme je vous le disais, j'ai effectué une tournée du Canada au printemps 2010. Il y a un gouffre entre la perception des Québécois et celle des Canadiens. Les Canadiens ne veulent plus rien savoir. Ils ont fermé la porte ; ils ont mis plein de cadenas partout et ils ont perdu les clés. Ils ne veulent rien savoir de quelque demande que ce soit du Québec, alors que les Québécois espèrent encore une ouverture, des négociations et qu'un jour le Canada réponde à leurs aspirations. Moi, je vous dis que nous avons le temps de disparaître dix fois avant que le Canada n'ouvre la porte.

Et ce fossé s'est creusé encore davantage depuis vingt ans. Il y a un gouffre entre la perception des Québécois et celle des Canadiens.

Du temps de Meech, cela demeurait crédible lorsqu'un politicien du Canada ou du Québec affirmait qu'il allait changer le Canada pour répondre aux demandes du Québec. Jean Chrétien a remporté son investiture en 1963 en disant qu'il allait changer la Constitution canadienne pour satisfaire les deux peuples. Imaginez ! Quand Trudeau a dit en 1980 qu'il y aurait du changement, bien des Québécois l'ont cru. Bourassa était sincère et, avec Mulroney, il était crédible. Mais aujourd'hui, Jean Charest répète que le fruit n'est pas mûr et Harper que le terrain n'est pas fertile. Ils ne promettent aucun changement parce qu'ils savent que ce ne serait pas crédible, que jamais les Canadiens n'accepteront que l'on donne quoi que ce soit au Québec.

☐ ***Parmi cet enchaînement d'événements et de faits marquants qui ont jalonné ces vingt ans du Bloc Québécois, il y eut, certes, ce moment fort que fut le référendum de 1995 sur la souveraineté du Québec. Le Québec a été à un cheveu de réaliser son indépendance. Comment avez-vous encaissé le choc de cette défaite ? Avez-vous remis en question votre présence à Ottawa à ce moment-là ?***

Je ne vous dis pas que cela n'a pas été dur. Mais je n'ai pas remis en question notre présence à Ottawa. Il fallait continuer et assumer cette défaite.

☐ ***Lorsque Jacques Parizeau a pris la parole ce soir-là et qu'il a dit que le camp du « oui » avait subi la défaite en raison du vote ethnique et de l'argent, comment avez-vous réagi ?***

Lorsque M. Parizeau a dit cela, j'ai fait « Oups ! » Mais je me suis vite rendu compte que ce qu'il venait de dire, plusieurs autres l'avaient dit.

M. Parizeau traduisait une certaine réalité. Sur l'argent, j'étais d'accord avec lui. Sur le vote ethnique, il faisait tout simplement un constat. Mais l'exercice du droit de vote en démocratie, au Québec comme ailleurs, c'est un exercice individuel et non un exercice de groupe. Les dirigeants des congrès de la communauté grecque, juive ou italienne ont demandé un vote communautaire, un vote collectif. Disons qu'ils étaient mal placés pour faire des reproches à M. Parizeau. Chacun a le droit, en tant qu'individu, de voter comme il l'entend.

Ce n'était peut-être pas le temps, je crois, de parler de cela au soir du référendum, mais je connais bien M. Parizeau et toutes les accusations qui ont été portées contre lui étaient particulièrement injustes. M. Parizeau est tout sauf un homme intolérant. Il va certainement passer à l'Histoire comme un grand homme d'État.

☐ ***Vous deviez retourner à Ottawa le lendemain de la défaite. Comment cela s'est passé ?***

Le lendemain matin, même si nous nous étions couchés très tard, nous étions à Ottawa vers huit heures. Cela avait été très dur émotivement parce qu'il fallait faire front. Mais je me souviens du sentiment de fierté que tous les députés du Bloc ont éprouvé en Chambre ce jour-là. Nous n'étions pas abattus, loin de là. Nos adversaires d'en face n'osaient pas rire. Nous sommes demeurés fiers. Comme cela se produira lors du vote sur la *Loi sur la clarté référendaire*, une députée d'en face a lancé en anglais : « Pourquoi sont-ils tous debout ? Est-ce qu'ils vont danser ? » Je l'ai regardée avec une certaine insistance et Chrétien lui a fait signe et lui a dit de se taire, que ce n'était pas le moment.

Et puis, il faut bien le dire, si nous ressentions une profonde déception à la suite de la défaite, ils étaient bien conscients, du côté des libéraux, qu'ils avaient frôlé le désastre. Ils avaient failli « perdre le pays » comme ils disaient. Chrétien, qui avait commencé la campagne en disant aux Canadiens « *be happy, don't worry* », avait des comptes à rendre et ils étaient encore tout penauds.

Après le référendum, la réaction du Canada aurait pu consister à essayer de répondre aux aspirations du Québec, à ouvrir la porte. Finalement, avec le recul, quinze ans plus tard, nous constatons qu'ils ont eu la réaction contraire. Ils ont fermé la porte à double tour.

Après le référendum, la réaction du Canada aurait pu consister à essayer de répondre aux aspirations du Québec, à ouvrir la porte. Finalement, avec le recul, quinze ans plus tard, nous constatons qu'ils ont eu la réaction contraire. Ils ont fermé la porte à double tour.

☐ ***Deux ans plus tard, en 1997, vous avez décidé de briguer la direction du Bloc Québécois. Comment avez-vous pris une telle décision ?***

Déjà, bien des gens me poussaient à y aller en 1996, après le départ de Lucien. Michel Gauthier[7] lui-même m'avait dit à l'époque que je devais succéder à Lucien. Mais j'étais whip.

☐ ***Où était le problème ?***

Lorsqu'un député est whip d'une aile parlementaire, il est une sorte de préfet de discipline. Il ne se fait pas beaucoup d'amis parmi ses collègues. Alors, lorsque Lucien Bouchard est parti en 1996, je suis allé le voir et je lui ai dit que j'aimerais me présenter à sa succession. Il m'a répondu que je ne devais pas faire ça, que ma position de whip faisait en sorte que j'essuierais une défaite cuisante. Sur le coup, j'ai mal pris la chose, mais il avait raison et j'ai décidé d'appuyer à fond mon ami Michel Gauthier. Lorsque Michel a démissionné en 1997, j'ai tenté ma chance. La campagne au leadership fut dure. Mes adversaires tiraient parfois sous la ceinture. Je suis devenu chef, mais les blessures étaient encore vives et la fatigue bien installée quand Jean Chrétien, flairant notre état de faiblesse et d'impréparation, a décidé de déclencher des élections précipitées.

---

7 Michel Gauthier, député BQ-Roberval. Leader parlementaire (1993-1996, 1997-2007), il a été chef du parti (1996-1997), ainsi que chef de l'Opposition officielle durant cette même période.

☐ ***Par la suite, tout le monde s'en souvient, la campagne électorale fédérale de 1997 n'a pas été une sinécure pour le Bloc Québécois. Vous et votre formation politique n'aviez pas eu, en quelque sorte, le temps de reprendre votre souffle.***

En effet. Nous n'avions pas eu le temps de nous préparer. D'autant plus qu'en raison de la campagne au leadership, j'étais dans un état d'extrême fatigue.

☐ ***On peut donc dire que cette campagne électorale de 1997 fut l'un des moments les plus difficiles de ces vingt dernières années du Bloc ?***

Oui, mais paradoxalement, lorsque je regarde cela aujourd'hui, je me rends compte que c'est peut-être lors de cette campagne que j'ai été le plus fort parce que je suis convaincu que plusieurs auraient tout simplement abandonné. Cela a été certes dur de passer au travers de cette campagne. J'étais, comme je vous l'ai dit, dans un état d'extrême fatigue. Je me souviens que lors d'un débat en anglais mes genoux ont lâché. Je me suis raccroché. Tout est devenu blanc, je ne voyais plus personne. Je me suis donné des coups de pied sur les chevilles pour retrouver la vue alors que l'on me posait une question. Ce n'était pas drôle !

En plus, tout était mal organisé ! Vous vous souvenez de l'épisode de la fromagerie ? D'abord, personne autour de moi ne voit le ridicule du bonnet que l'on nous oblige à porter en conférence de presse. Ensuite, avant de rentrer dans la fromagerie, je me rends compte qu'elle ne produit pas de fromages au lait cru alors que le Bloc venait tout juste de faire une campagne en faveur de l'utilisation du lait cru. Imaginez ! Je me retrouve en pleine campagne électorale dans une fromagerie avec un propriétaire qui est contre le lait cru. Les journalistes venaient de se trouver une tête de Turc.

☐ *Vous pouvez dire aujourd'hui que cette campagne 1997 a été votre campagne d'apprentissage.*

Oui, mais, malgré les difficultés, vous apprenez beaucoup de choses dans de telles situations. Et puis, nous avions reçu un fort appui du Parti Québécois lors de ces élections. À toutes celles qui ont suivi, le Bloc a d'ailleurs fortement appuyé le Parti Québécois, et inversement. Cela nous donne une force particulière, à nous, les partis souverainistes. Il y a une grande solidarité.

Et puis, c'est à l'automne 1998 que je suis véritablement retombé sur mes pieds et que je suis parti faire une grande tournée politique au Canada. Je me sentais désormais plus solide.

☐ *Comment voyez-vous aujourd'hui votre leadership ?*

Je pense que je suis bien soutenu aujourd'hui. C'est l'impression que j'ai. Je me sens appuyé par mon caucus et par la population en général. Nous avons construit un véritable parti politique, bien organisé. Nous avons une histoire et une histoire de gagnant. Nous savons où nous allons et je pense que les gens reconnaissent que mon leadership porte ses fruits. Mais en même temps, si le chef d'un parti est très visible, on ne doit pas oublier que c'est un travail d'équipe et que derrière le chef il y a des hommes et des femmes qui travaillent très fort et qui ne reçoivent pas toujours la reconnaissance qu'ils méritent. Les députés du Bloc sont très disciplinés, très déterminés et travaillants. Je pense que les gens nous reconnaissent ces qualités.

Nous avons construit un véritable parti politique, bien organisé. Nous avons une histoire et une histoire de gagnant.

☐ ***J'en viens à un autre fait marquant des vingt ans du Bloc Québécois à Ottawa : le débat et l'adoption du projet de loi C-20 dit* Loi sur la clarté référendaire. *Cet épisode a laissé un goût amer non seulement chez les souverainistes, mais même chez beaucoup de fédéralistes québécois. Comment avez-vous vécu cette période ?***

Nous avons siégé jour et nuit, je me souviens. C'était en mars 2000. Nous avions tout fait pour signifier le désaccord du Québec face à cette loi. Nous avions notamment déposé plus de 1200 amendements, dont 400 ont été jugés recevables et défaits un à un par les libéraux. Au bout du compte, les deux tiers des députés représentant le Québec – et c'est ce que l'Histoire retiendra –, soit les 44 députés du Bloc, un indépendant et quatre conservateurs, ont voté contre ce projet de loi libéral, un projet de loi qui était et qui demeure toujours inacceptable pour la nation québécoise.

En fait, ce qui dépassait l'entendement dans cette loi, c'est que les libéraux avaient décidé d'appeler cela « Loi sur la clarté ». Je le redis encore aujourd'hui, c'est une loi qu'ils ont adoptée contre la volonté du Québec. Je dis aussi que pour nous, au Québec, même si l'adoption de cette loi a été un moment difficile pour le Bloc, il n'y a pas de quoi s'énerver outre mesure.

Le moment venu, nous ferons au Québec ce que nous avons à faire en vertu des décisions de l'Assemblée nationale. Eux, à Ottawa, décideront comment ils veulent négocier. Mais une chose est certaine, Chrétien et Dion ont créé un monstre pour se donner belle figure devant le Canada ; pour montrer qu'ils agissaient.

De plus, cet épisode illustre parfaitement ce que j'affirmais un peu plus tôt à propos de l'opinion canadienne qui s'est durcie. Quand le projet de loi a été déposé, Preston Manning[8] et Alexa McDonough[9] étaient furieux et ils s'y opposaient farouchement. Manning trouvait ça profondément antidémocratique. Mais la pression de l'opinion canadienne était tellement forte qu'ils ont marché sur leurs principes. C'est d'ailleurs cet épisode qui a provoqué la démission de l'attaché de presse de madame McDonough, Philippe Gagnon, qui s'est ensuite joint à nous et qui est aujourd'hui mon chef de cabinet adjoint.

Ce que nous retenons pour notre part de cet épisode, ce n'est pas la *Loi sur la clarté référendaire*, mais l'avis de la Cour suprême qui l'a précédée. Et cet avis est, lui, très clair. Il dit qu'Ottawa devra négocier de bonne foi si le Québec rejette l'ordre constitutionnel canadien. Et je vous le dis tout de suite, notre question sera tout ce qu'il y a de plus clair.

☐ ***Vous avez également traversé l'épisode du scandale des commandites, une entreprise du Parti libéral destinée d'abord à gagner le Québec à la cause fédérale même par des moyens qui ont été jugés malhonnêtes par la Commission d'enquête sur le programme de commandites et les activités publicitaires. Quelles leçons avez-vous tirées des années commandites, soit de 2000 à 2006 ?***

Ce n'était pas la première fois que les fédéralistes faisaient usage de moyens malhonnêtes pour arriver à leurs fins, mais c'était la première fois qu'on les prenait la main dans le sac. La population a été profondément offusquée par ce qui s'est passé et avec raison. Certes, nous nous doutions bien que

8 Preston Manning, député de Calgary Southwest (1993-janvier 2002), fondateur et premier chef du Parti réformiste du Canada (octobre 1987), qui devint ensuite l'Alliance canadienne (2000).

9 Alexa McDonough, chef du Nouveau Parti démocratique (NPD) (octobre 1995 à janvier 2003). Elle demeure députée d'Halifax jusqu'en septembre 2008.

quelque chose ne tournait pas rond et cela depuis longtemps. Mais nous ne pouvions rien prouver.

En 1980, par exemple, lors du premier référendum sur la souveraineté, les fédéralistes avaient mis le paquet. C'était épouvantable. René Lévesque était furieux. Ils faisaient imprimer leur propagande par la Chambre des communes au détriment de la loi. Tout le monde s'en doutait. Mais comme l'écart dans les résultats du référendum fut de 20 %, personne n'a vraiment fait enquête.

Dès 1998, nous avons commencé à poser des questions au gouvernement Chrétien sur Option Canada[10]. Nous avons même fait campagne sur cette question lors des élections générales de 2000 et dans notre plateforme bien des éléments du scandale des commandites étaient déjà présents, écrits noir sur blanc. Mais ces choses-là prennent du temps. Le scandale a éclaté d'un coup, mais les éléments du scandale se mettaient en place depuis longtemps, depuis des années. Et quand le scandale a éclaté, nous avons justement vécu une de ces accélérations de l'Histoire dont je vous parlais plus tôt. Nous sommes passés du triomphe appréhendé d'un Paul Martin à la déroute complète des libéraux.

Après la campagne de 2000, les libéraux ont cru qu'on les laissait enfin tranquilles, ce qu'ils souhaitaient d'ailleurs. Mais par la suite les journalistes se sont mis de la partie. Ils ont fouillé un peu plus. Nous avions certains éléments et nous n'avons pas hésité à les leur communiquer. Les uns alimentaient les autres. La guerre entre Paul Martin et Jean Chrétien faisait rage. Par exemple, nous ne connaissions pas

---

10 Option Canada, une entité prétendument créée par le Conseil pour l'unité canadienne, était soupçonnée d'avoir fait des dépenses illégales pour le camp du « non » lors de la campagne référendaire de 1995. En 2007, une enquête commandée par le Directeur général des élections et présidée par le juge à la retraite Bernard Grenier concluait que plus d'un demi-million de dollars avaient en effet été dépensés illégalement par le camp fédéraliste lors de ce référendum.

Jacques Corriveau[11]. Ce sont les gens de Paul Martin qui nous ont donné son nom.

Ils ont su qu'on a tenté de les berner, qu'on a voulu leur vendre un pays à coups de publicité et de marketing. Et ceux qui ont fait cela l'ont fait en croyant que tous les moyens étaient bons pour y arriver.

Toute cette histoire a vraiment offusqué la population. Il n'y a rien de pire que quelqu'un qui se sent trahi, qui sent qu'on s'est moqué de lui. C'est ce que nous ressentions. Et c'est cela que les gens ont ressenti. Ils ont su qu'on a tenté de les berner, qu'on a voulu leur vendre un pays à coups de publicité et de marketing. Et ceux qui ont fait cela l'ont fait en croyant que tous les moyens étaient bons pour y arriver. Y a-t-il quelque chose de pire que cela en politique ?

Ce qu'il faut retenir, au-delà de la magouille, c'est que les libéraux étaient incapables de battre le Bloc au Québec parce qu'ils étaient incapables de répondre aux aspirations des Québécois, de les représenter. Alors, ils ont voulu tricher. Et s'ils sont incapables de représenter le Québec, c'est parce que l'opinion publique canadienne ne leur permet pas de faire des ouvertures au Québec, d'ouvrir la porte aux demandes du Québec.

☐ ***Que pensez-vous du déni de culpabilité avancé par la suite par les Jean Chrétien, Alfonso Gagliano, Jean Pelletier et d'autres acteurs du scandale des commandites ?***

Jean Pelletier[12], juste avant sa mort, a fait un aveu assez révélateur. Il a dit : « Quand le pays est en danger, tous les moyens

11 Dans son rapport sur le scandale des commandites, le juge John Gomery affirme que Jacques Corriveau, un ami intime de Jean Chrétien, « était l'acteur central d'un dispositif bien huilé de pots-de-vin qui lui avait permis de s'enrichir personnellement et de donner de l'argent et des avantages au PLCQ ».

12 Jean Pelletier fut de 1993 à 2001 le chef du cabinet du premier ministre fédéral Jean Chrétien. Il est décédé en janvier 2009.

sont bons. » J'ai parlé à quelques reprises avec lui avant qu'il ne fasse cette déclaration et je sais qu'il n'a pas dit cela à la légère. « Tous les moyens sont bons », a-t-il dit. Vouloir plaider par la suite qu'il ne savait pas? Nous avions des faits. Et vous êtes-vous déjà demandé pourquoi Jean Chrétien s'est débarrassé si vite d'Alfonso Gagliano[13] à l'époque?

☐ ***Vous qui avez connu bien des scandales à Ottawa, que pensez-vous de ce qui se passe à Québec en ce moment, alors que bien des observateurs affirment que le climat est malsain ?***

Quand il y a des scandales, bien des gens disent que la politique c'est pourri et épouvantable. Pourtant, il y a une bonne nouvelle là-dedans : on a le droit de dénoncer la corruption et ceux qui le disent ne sont pas pendus le soir, nous sommes en démocratie. Et dans bien d'autres endroits on ne le sait pas et quand certains le savent et veulent le dire, ils ne finissent pas la journée. N'essayez pas de dénoncer la corruption des dirigeants à Téhéran ou à Pyongyang, parce que vous ne finirez pas la journée, j'en suis convaincu.

Quel est notre devoir comme élu à ce moment-là? De faire comme le NPD et dire que nous ne parlerons pas des commandites parce que ça va détériorer toute l'image de la politique, vaut mieux ne pas en parler? C'était cela l'argument du NPD. Et nous avons dit : « Nous sommes au courant de certaines choses et c'est notre devoir de faire la lumière, il faut persister. » Alors, quand j'entends certains reprocher au Parti Québécois et à Pauline Marois de dénoncer des scandales, je trouve cela un peu gros. Les responsables du climat délétère, ce sont les personnes qui refusent la transparence ou qui ne respectent pas les règles les plus élémentaires d'intégrité. Si le Parti Québécois ne posait pas de question, il se ferait

---

13 Alfonso Gagliano, député libéral fédéral (1984-2002), ambassadeur du Canada au Danemark (janvier 2002-février 2004)

reprocher de ne pas faire son travail. Nous, on s'y connaît un peu dans ce domaine et je peux vous dire que le Parti Québécois fait un travail formidable.

☐ ***Croyez-vous qu'une commission d'enquête sur la construction permettrait de rétablir le climat et la confiance à Québec ?***

Cela permettrait sans doute de faire la lumière, d'aller au fond des choses. Je crois que Jean Charest et le Parti libéral ont tout simplement peur de déclencher une enquête. Ils ont peur qu'il leur arrive la même chose qu'aux libéraux fédéraux, qui ne s'en sont pas encore remis. J'ai bien l'impression que cela va se régler aux prochaines élections. Le Parti Québécois ne doit pas lâcher, même si c'est dur. Ses membres font leur travail d'opposition ; ils prennent leurs responsabilités.

Les responsables du climat délétère, ce sont les personnes qui refusent la transparence ou qui ne respectent pas les règles les plus élémentaires d'intégrité.

☐ ***En 2003, le Parti Québécois perdait le pouvoir. Comment entrevoyiez-vous la suite des choses le soir de la défaite ? Aviez-vous l'impression de devoir faire une traversée du désert ou vous vous êtes dit qu'il y avait là une occasion à saisir pour combler un vide, pour devenir en quelque sorte le fer de lance du mouvement souverainiste ?***

Non, pour nous, une défaite du Parti Québécois, ce n'est jamais une bonne nouvelle, puisque cela ferme la porte pour un temps à la possibilité de faire la souveraineté.

Nous avions déjà vécu une situation similaire de 1990 à 1994 avec les libéraux au pouvoir à Québec. De 1990 à 1992, nous avions d'ailleurs collaboré avec eux sur certains dossiers. Mais à la suite de Charlottetown et de la démission de M. Bourassa à l'automne 1993 et l'arrivée de Daniel Johnson fils, les liens ont alors été coupés. En octobre de cette même année, nous avions gagné nos élections à Ottawa et nous étions l'Opposition officielle. Et lorsque les élections générales sont dans l'air à Québec, le gouvernement Johnson ne veut plus collaborer avec nous et réciproquement.

Nous avions établi une ligne de conduite qui est encore celle que nous suivons aujourd'hui, c'est-à-dire que nous endossons et défendons aux Communes tout ce qui fait consensus à l'Assemblée nationale du Québec. Et s'il faut travailler avec un gouvernement libéral à Québec, tant que cela fait avancer les intérêts du Québec et qu'il y a unanimité à l'Assemblée nationale, pas de problème.

Donc, tout de suite après la défaite du Parti Québécois en 2003, il y eut les élections fédérales du 28 juin 2004. Je sentais, malgré les sondages défavorables de 2003, que nous allions gagner. Les sondages donnaient 62 % à Paul Martin et 28 % au Bloc en juin 2003, soit un an avant les élections. Je savais que la partie n'était pas jouée, que bien d'autres révélations couvaient à propos de l'affaire des commandites. Je savais que je pouvais faire mordre la poussière à Paul Martin. Je le connaissais, je connaissais ses faiblesses et j'ai commencé à préparer les débats des chefs dès l'automne 2003. Nous avions des munitions et moi, j'étais très bien préparé.

Par exemple, notre service de recherche avait fait un travail d'analyse qui nous avait permis de démontrer que la compagnie de Paul Martin avait économisé plus de 100 millions de dollars en impôts grâce aux paradis fiscaux. Cela lui a fait très mal. Paul Martin avait une aura d'ouverture envers le Québec, mais c'était plutôt vaseux.

Nous avons remporté la victoire dans 54 circonscriptions. En 2004, nous avons obtenu 49 % des voix, un résultat que les souverainistes ont obtenu quatre fois seulement : aux élections québécoises de 1981, aux élections fédérales de 1993, au référendum de 1995 et en 2004. Donc, en 2004, on gagne et les audiences de la commission Gomery, qui expose en détail toutes les turpitudes des libéraux dans ce scandale des commandites, font monter les appuis à la souveraineté jusqu'à 55 % dans les sondages, mais le Parti Québécois n'est pas au pouvoir.

☐ ***Je reviens à cette expression : « le fer de lance de la souveraineté ». Vous étiez donc vraiment devenu le fer de lance de la souveraineté ?***

Jacques Parizeau l'avait déjà dit à l'époque, lorsque nous avions lancé les chantiers de réflexion sur la souveraineté, notamment sur les questions de la mondialisation, de la citoyenneté et de l'identité nationale. Jacques Parizeau avait louangé le travail de réflexion du Bloc sur la mondialisation et sur l'identité. Nous avons bien vu qu'avec le temps nous avions eu raison de nous interroger sur cette question, d'affirmer qu'un Québécois, c'est une personne qui vit au Québec, sans exception, peu importe ses origines. Ce n'est pas pour rien qu'après cela tant de gens se sont joints à nous.

En somme, en politique, ce sont les idées qui font la différence. Ce n'est pas en additionnant les gestes que nous posons au quotidien que nous découvrirons où nous allons. Il faut prendre le temps de réfléchir et nous avons réfléchi aux grands enjeux que sont la mondialisation, la citoyenneté et l'identité. C'est en raison de ces réflexions fondamentales que Jacques Parizeau a dit que nous étions le fer de lance de la souveraineté.

En somme, en politique, ce sont les idées qui font la différence. Ce n'est pas en additionnant les gestes que nous posons au quotidien que nous découvrirons où nous allons. Il faut prendre le temps de réfléchir.

Cela étant dit, on ne se contera pas d'histoire : si le Bloc est le fer de lance de la souveraineté, cette lance est pointée vers Ottawa et elle a au moins deux fers, l'autre étant le Parti Québécois.

☐ ***En janvier 2006, Stephen Harper devenait premier ministre du Canada. Que pensez-vous de l'homme, de sa pensée politique ?***

J'ai dit en 2004 ou en 2003 à l'émission de télévision de France Beaudoin que celui que je respectais le plus à la Chambre des communes, c'était Stephen Harper. Il était à l'époque chef de l'opposition. Et lorsque l'on a demandé à M. Harper qui respectait-il le plus, il a répondu Gilles Duceppe.

Je l'ai connu bien avant qu'il ne soit élu en 1993 parce qu'il parlait français et qu'il participait à des débats publics auxquels je prenais part. Nous étions loin de partager les mêmes points de vue, mais son comportement était toujours très respectueux, notamment lorsqu'il devint chef de l'opposition. Il savait où il allait, c'était clair.

Mais depuis qu'il a pris le pouvoir, il est de moins en moins clair. Autrefois, il venait dans mon bureau et me disait : « Un gouvernement minoritaire doit toujours respecter les décisions de la Chambre des communes. C'est immoral de ne pas les respecter. » Pourtant, aujourd'hui, il fait exactement le contraire de ce qu'il prêchait.

☐ ***Est-ce que c'est votre jugement initial sur lui qui n'était pas bon ou c'est l'homme qui a changé au contact du pouvoir ?***

On ne sait jamais comment un homme – ou une femme – va réagir une fois au pouvoir. En 1965, on présentait Trudeau comme une des trois colombes. Une fois premier ministre, il promulgue les mesures de guerre ! Quant à Stephen Harper, il me disait souvent, par exemple : « Attends un peu, si je prends le pouvoir, je vais mettre les journalistes à ma main. Je ne me ferai pas torturer comme Paul Martin s'est fait torturer. » C'est certain qu'aujourd'hui, quand on voit le contrôle que veut exercer le premier ministre sur les médias, cela prend un autre sens. Mais vous savez, on peut respecter l'homme et désapprouver très vivement ses politiques, son comportement politique.

☐ ***Vous affirmez que M. Harper ne respecte pas les décisions de la Chambre des communes ?***

Absolument ! C'est arrivé très souvent. À titre d'exemple, lors d'une journée d'opposition réservée au Bloc, le 24 avril 2007, la Chambre a adopté à l'unanimité, soit 283 votes pour et 0 contre, une motion qui demandait au gouvernement d'établir au plus vite des cibles absolues de réduction des gaz à effet de serre afin d'atteindre les objectifs du protocole de Kyoto. La motion précisait que c'était une condition préalable à l'établissement dans les meilleurs délais d'une bourse du carbone à Montréal. M. Harper n'a jamais donné suite à ce vote unanime de la Chambre.

Le 8 mai 2007 encore, nous avions fait adopter par 159 voix contre 122 une motion qui avait pour but de modifier la *Loi sur la concurrence* afin que le commissaire de la concurrence ait le pouvoir d'initier des enquêtes sur le prix de l'essence et sur le rôle des marges de raffinage dans la détermination de ce prix. M. Harper n'a jamais respecté cette volonté de la Chambre des communes.

Le 22 avril 2009, encore lors d'une journée d'opposition du Bloc, nous avions réussi à faire adopter une importante motion sur le registre des armes à feu. La Chambre affirmait à la majorité que le gouvernement ne devrait pas renouveler l'amnistie relative aux obligations sur le contrôle des armes à feu qui venait à échéance quelques jours plus tard et qu'il devrait maintenir intégralement l'enregistrement de tous les types d'armes à feu. M. Harper n'a rien fait de cela.

Le 29 avril 2009, à 275 contre 0, la Chambre affirmait que le gouvernement devrait négocier de bonne foi avec le gouvernement du Québec afin de régler le contentieux qui existe depuis plus d'une décennie concernant l'harmonisation de la TVQ avec la TPS effectuée au début des années 1990 et accepter d'accorder au Québec une compensation de 2,2 milliards de dollars tout en maintenant l'administration à Québec de ces taxes harmonisées. Comment peuvent-ils tant tarder à régler un dossier aussi simple, si ce n'est par mauvaise foi ?

□ ***Votre relation avec M. Harper s'est donc envenimée avec le temps ?***

Notre relation avant les élections d'octobre 2008 n'était pas trop mal. Lors de notre dernière rencontre avant le scrutin de 2008, nous avons surtout parlé de nos familles et nous avons abordé la question politique tout au plus pendant une quinzaine de minutes. Nous avons discuté pendant quarante-cinq minutes et tout le monde dans nos entourages semblait fort intrigué de nous voir ainsi en tête-à-tête aussi longtemps. Je dois vous dire qu'en règle générale les chefs de l'opposition ne se parlaient pas beaucoup entre eux lorsque nous sommes arrivés à Ottawa. Je les taquinais en leur disant souvent qu'il fallait un séparatiste pour faire en sorte que deux fédéralistes se parlent. Quant à M. Harper, disons que nos relations se sont un peu refroidies, mais nous continuons à nous parler en toute civilité pour régler certaines questions quand il le faut.

☐ ***Votre appui à l'initiative du Parti libéral et du Nouveau Parti démocratique en décembre 2008 d'informer la gouverneure générale qu'ils étaient prêts à défaire le gouvernement minoritaire conservateur et à former un nouveau gouvernement de coalition n'a certainement pas fait plaisir à M. Harper.***

M. Harper reprochait vivement au chef libéral, Stéphane Dion à l'époque, de pactiser avec le diable, c'est-à-dire avec le Bloc. Pourtant, ce même Stephen Harper, après les élections générales du 28 juin 2004 alors que Paul Martin dirigeait un gouvernement minoritaire, avait rédigé à l'hôtel Delta à Montréal une lettre que nous avions signée avec Jack Layton, le chef du NPD, et envoyée à la gouverneure générale, Adrienne Clarkson, pour lui demander de ne pas déclencher automatiquement des élections si le gouvernement Martin perdait la confiance de la Chambre.

Nous demandions à madame Clarkson de nous consulter avant de déclencher de nouvelles élections afin d'examiner d'autres options, comme celle d'un gouvernement conservateur. M. Harper m'avait explicitement demandé mon accord sur certains points. Ainsi, en décembre 2008, alors que son gouvernement n'avait jamais vu venir la crise économique, M. Harper était plutôt mal placé pour me reprocher de faire ce que lui-même avait fait quatre ans auparavant. À l'été 2003, alors qu'il avait besoin de nous, il ne disait pas qu'il faisait affaire avec le diable.

Ce qu'a fait Stephen Harper en 2008, c'est de se servir du Bloc Québécois, et donc du Québec, comme repoussoir. C'est tout à fait classique : on casse du sucre sur le dos du Québec pour mettre le Canada de son côté. C'est la vieille recette. Le pire, c'est que cela marche encore de nos jours. Évidemment, le prétexte, c'est le Bloc Québécois. Mais sachant que les Québécois ont donné six majorités consécutives au Bloc, nous diaboliser c'était diaboliser le Québec.

☐ ***Par ailleurs, comment expliquez-vous que Stephen Harper ait eu un certain attrait pour les Québécois, puisqu'il a remporté un certain nombre de sièges au Québec contre toute attente ?***

M. Harper a fait miroiter aux Québécois certaines concessions. Il a promis notamment de régler le déséquilibre fiscal, ce qu'il n'a pas fait. Il a certes acquiescé à un bon règlement financier, mais il n'a pas changé les données fondamentales de la fiscalité canadienne. Quant à sa concession au sujet de la place du Québec à l'UNESCO[14] – en réalité un strapontin pour le Québec qui demeure toujours sans pouvoir décisionnel – c'est là aussi de la foutaise. Stephen Harper a également promis de mettre fin au pouvoir fédéral de dépenser et de donner un droit de retrait au Québec. Finalement, cela évoquait un peu Meech, ce qui est curieux puisque Stephen Harper était un féroce opposant à Meech. Mais il ne pouvait pas livrer cela sans perdre ses appuis au Canada. Il n'a jamais livré, finalement.

Certains électeurs se sont dit qu'un nouveau style de gouvernement les changerait des libéraux. Mais il n'en demeure pas moins que jamais un gouvernement n'a été au pouvoir à Ottawa avec aussi peu de sièges au Québec.

☐ ***Du 11 au 13 mai 2007, vous avez fait une sorte d'aller-retour entre le Bloc Québécois et le Parti Québécois. Était-ce une erreur que de vouloir à ce moment-là tenter de prendre la direction du PQ ? Que s'est-il vraiment passé ?***

J'ai fait une erreur, c'est vrai, mais je l'ai corrigée en 24 heures ! Ce n'était pas la première fois que l'on tentait de me pousser vers le Parti Québécois. En 2005, après la démission de Bernard Landry, les pressions étaient très fortes. Je me suis dit

14 L'Organisation des Nations unies pour l'éducation, la science et la culture, créée en novembre 1945, regroupe 193 États membres et sept États membres associés.

à cette époque que ce n'était pas possible, que Paul Martin était sur le point de déclencher des élections et que le Bloc se retrouverait sans chef. C'est ce que mes adversaires attendaient. On m'aurait reproché d'abandonner au beau milieu d'une importante lutte et on aurait eu raison. J'ai donc décidé que je n'y allais pas. Le devoir passait avant tout.

La deuxième fois, celle dont vous me parlez, j'ai encore subi des pressions pour y aller. J'ai eu le même réflexe de demeurer au Bloc, mais à la dernière minute, j'ai agi sous l'impulsion et sans en discuter en personne avec Yolande – ce qui ne me ressemble pas – et j'ai décidé d'y aller. Mais aussitôt ma décision annoncée, j'ai commencé à me sentir mal. Moi, quand ça ne va pas, je me sens mal.

☐ *Une sorte de système d'alarme intérieur ?*

Oui, c'est physique. Ce que souhaitaient la grande majorité des souverainistes, c'était Pauline Marois à Québec et moi à Ottawa. Ils aimaient mieux avoir les deux que de devoir choisir entre les deux. Je me suis rendu compte que nous n'allions pas sortir grandis si j'y allais, nous les souverainistes, et que ce serait de ma faute.

Sur le moment, c'était davantage de l'ordre de l'instinct, de l'intuition. Mais une fois la poussière retombée, c'est devenu plus clair. J'ai donc fait une erreur, c'est vrai, mais je l'ai vite corrigée et croyez-moi cela prenait du courage. Aujourd'hui, j'en suis fier. Pauline Marois a tout ce qu'il faut pour devenir premier ministre – première ministre, en fait – du Québec. Elle a l'expérience de l'État, de la politique et les Québécois vont découvrir qu'elle est une femme très déterminée. C'est quelqu'un qui écoute beaucoup et quand elle a fait le tour, elle prend une décision et elle tient le cap.

☐ ***Comment sont vos rapports avec Pauline Marois ?***

Très bons. Nos adversaires et les *critiqueux* cherchent tout le temps à trouver des failles dans les rapports entre les chefs du Parti Québécois et du Bloc. Nous ne sommes pas toujours d'accord sur tout et cela est vrai même à l'intérieur des partis politiques. C'est normal. Nous sommes deux partis distincts et indépendants. Mais nous nous parlons régulièrement, nos chefs de cabinet se rencontrent, nos députés se côtoient et nous sommes tous conscients que pour réaliser la souveraineté, nous devons nous épauler. Je ne crois pas qu'il existe de liens plus serrés que ceux qui existent entre le Bloc et le Parti Québécois. Vous ne voyez pas cela entre les autres partis politiques au Québec ou au Canada. Et je suis certain qu'il n'y a pas de liens plus étroits entre deux chefs que ceux qui existent entre Pauline et moi.

Quand je dis que nous formons deux partis indépendants, cela n'exclut pas une très grande proximité. L'existence du Bloc n'a de sens que parce qu'il y a un outil politique à Québec qui s'appelle le Parti Québécois. S'il n'y avait que deux partis fédéralistes à Québec, que ferions-nous à Ottawa ? Nous ne pourrions parler de souveraineté de façon crédible, nous ne pourrions parler de double légitimité, cette bizarrerie qui fait que l'Assemblée nationale dit quelque chose et qu'Ottawa fait le contraire. Il est arrivé quelques fois auparavant que les partis fédéralistes à Québec se rebiffent contre Ottawa, mais pas autant que maintenant. Si les partis à Québec aujourd'hui en arrivent plus souvent à des consensus, c'est parce qu'ils sentent la pression du mouvement souverainiste.

Cela n'exclut pas une très grande proximité. L'existence du Bloc n'a de sens que parce qu'il y a un outil politique à Québec qui s'appelle le Parti Québécois.

☐ ***En décembre 2008, le Bloc a appuyé la coalition PLC-NPD dans le but de renverser le gouvernement Harper. Cela n'a pas fonctionné, mais vous avez quand même serré la main de Stéphane Dion, chef du Parti libéral et père de ladite* Loi sur la clarté référendaire. *N'était-ce pas pour vous serrer la main du diable ?***

Plusieurs dans le mouvement souverainiste n'ont pas accepté ce qui s'est passé. Or j'ai serré sa main parce que cela servait les intérêts du Québec, qui gagnait énormément avec cet accord. C'était carrément l'énoncé économique du Bloc Québécois qui en était l'inspiration, la source.

Je vous l'ai déjà dit, nous avions joué ce même scénario en 2004 avec Harper et Layton. En 2008, Stephen Harper nous avait piqués au vif avec la mise à jour économique de son ministre des Finances, Jim Flaherty. Ce dernier invoquait la crise économique pour abolir le droit de grève des fonctionnaires, affaiblir la *Loi sur l'équité salariale* et tenter d'étrangler financièrement les partis de l'opposition en retirant les subventions par suffrage exprimé. De plus, le ministre des Finances en rajoutait en évitant de chiffrer le déficit anticipé et en ne proposant pas de véritables mesures pour stimuler l'économie.

C'était un désastre pour l'économie québécoise et un véritable *casus belli* pour les partis d'opposition. En novembre 2008, le Bloc avait pourtant proposé au gouvernement un plan de relance. Paul Crête avait rencontré M. Flaherty et moi-même j'avais rencontré M. Harper. Pour toute réponse, M. Flaherty nous arrive avec son insipide *Mise à jour économique* qui était un énoncé plus idéologique qu'économique. Que faire ?

Jack Layton était déjà venu me voir trois semaines auparavant pour me proposer une coalition NPD-PLC-BQ. Je lui ai dit que jamais nous ne ferions partie d'une telle coalition, mais que nous étions prêts éventuellement à l'appuyer, à certaines conditions.

Nous ne pouvions appuyer Flaherty et nous ne pouvions non plus le défaire en Chambre et précipiter tout le monde en élections générales en même temps que celles du Québec. Cela n'avait aucun sens. La politique, c'est l'art de choisir. Il fallait choisir un moyen qui nous sortirait tous de cette situation et, en même temps, il y avait là une occasion exceptionnelle pour faire avancer les intérêts du Québec. Nous étions, encore une fois, en plein mouvement d'accélération de l'Histoire.

J'ai appelé Layton et je lui ai dit que j'avais contacté Dion et que lui et Dion devaient se parler. Nous avons mis deux équipes de négociation sur pied, une avec les libéraux et l'autre avec le NPD. Les deux groupes ont alors accepté nos propositions économiques. Nous étions les seuls à avoir un programme économique cohérent, chiffré, réaliste. Pierre Paquette[15] et François Leblanc[16] négociaient d'un côté avec les libéraux, Luc Desnoyers[17] et Philippe Gagnon[18] avec le NPD.

La politique, c'est l'art de choisir. Il fallait choisir un moyen qui nous sortirait tous de cette situation et, en même temps, il y avait là une occasion exceptionnelle pour faire avancer les intérêts du Québec.

Avec cet accord, nous avions réussi non seulement à faire passer nos propositions économiques pour le Québec, mais, en plus, le texte parlait des Canadiens et des Québécois, faisant une différence entre les deux. De la part des libéraux fédéraux, c'était surprenant. Trudeau a dû se retourner dans sa tombe. Les Canadiens et les Québécois ! C'était du bonbon ! Quand Jacques Parizeau a lu ça, il était ravi. Il nous appuyait à 100 %.

---

15 Pierre Paquette, député BQ-Joliette, depuis 2000, leader parlementaire depuis 2007.

16 François Leblanc, directeur de cabinet de Gilles Duceppe.

17 Luc Desnoyers, député BQ-Rivière-des-Mille-Îles, depuis 2008.

18 Philippe Gagnon, directeur de cabinet adjoint de Gilles Duceppe.

Mais, déjà, nous nous rendions compte que les libéraux étaient extrêmement mal organisés. Le soir venu, ce sont les fameuses déclarations télévisées. Vous vous souvenez de ce qui est arrivé ! M. Harper s'est adressé aux Canadiens et Stéphane Dion a réagi avec une vidéo d'un amateurisme épouvantable. Ce fut un fiasco total.

☐ ***La coalition a donc échoué en raison des maladresses de Stéphane Dion ?***

Elle a échoué parce qu'Ignatieff n'a pas su prendre le relais. S'il l'avait fait, il aurait été premier ministre. Dion n'aurait pas eu le choix d'accepter de céder sa place cette fois-là. Ignatieff aurait pu devenir premier ministre, mais il a hésité. Il y aurait eu un peu de grabuge, mais il aurait été premier ministre et Harper ne serait plus là. Et surtout, le Québec aurait tiré son épingle du jeu. Mais Ignatieff a eu peur de la réaction des Canadiens après que Harper ait mis le feu en stigmatisant le Québec. Depuis ce temps, Michael Ignatieff a été obligé de plier l'échine des dizaines de fois.

☐ ***Si j'en juge par le récit que vous venez de me faire, le Bloc Québécois, un parti souverainiste, entretient des liens de travail avec les partis fédéralistes aux Communes. En vingt ans, avez-vous constaté un changement d'attitude des élus fédéralistes envers les élus du Bloc ?***

Oui, ils ont changé. Au départ, en 1990, exception faite de Lucien Bouchard, ils prenaient les élus du Bloc pour des drôles. Quoi qu'il en soit, les élus fédéralistes voyaient en nous, en 1990, un épiphénomène qui ne durerait pas. Ils trouvaient étrange notre présence à Ottawa. Peu à peu, ils ont été forcés de reconnaître que nous faisions un bon travail d'opposition, que nous étions rigoureux dans notre démarche et que nous avions une grande connaissance des dossiers. Ce respect s'est toujours maintenu par la suite. Nous avons toujours conservé cette attitude de rigueur et nous avons évité de tomber dans l'arrogance, ce qui n'a pas toujours été le cas chez les libéraux et les conservateurs. Et puis, nous nous sommes fixé une ligne de conduite à laquelle nous ne dérogeons pas. Si c'est bon pour le Québec, nous appuyons. Si ce n'est pas bon, nous rejetons, et ce, peu importe le parti qui propose.

Aujourd'hui, vingt ans plus tard, je dois avouer que c'est quand même redevenu difficile, car les conservateurs francophones sont d'une faiblesse épouvantable et d'une insipidité totale. Ils n'ont pas d'armes pour tenter de nous contrer, sinon celle de l'attaque personnelle à répétition et celle de la démagogie. Leurs méthodes sont dégradantes. Ils ont érigé le mensonge en système, ce que ne faisait pas Stephen Harper lorsqu'il était dans l'opposition. Il agissait à cette époque en accord avec ses principes, bien sûr, mais je respectais sa façon de faire, même si ses principes n'étaient pas et ne sont pas les miens. Comment voulez-vous discuter avec des gens qui se comportent de façon aussi mesquine, qui vous accusent de protéger les pédophiles simplement parce que vous vous opposez à leurs politiques ?

☐ ***Depuis que vous êtes tout jeune, ce qui visiblement vous fait réagir c'est l'injustice. Est-ce que je me trompe ?***

Je suis incapable d'accepter l'injustice, c'est épidermique. Face à une injustice, je ressens le besoin de corriger la situation et de gagner, d'aller jusqu'au bout. C'est en bonne partie ce qui m'a poussé à ne jamais cesser de me battre pour corriger les injustices inhérentes au régime d'assurance-emploi, mais aussi de me battre pendant des années contre Cinar, qui avait commis une grande injustice envers Claude Robinson[19].

☐ ***Depuis vingt ans, il y a une constante dans votre action politique que l'on ne peut ignorer. Il s'agit du rôle que joue auprès de vous votre épouse Yolande Brunelle. On dit que c'est votre première conseillère.***

Je suis incapable d'accepter l'injustice, c'est épidermique. Je ressens le besoin de corriger la situation et de gagner, d'aller jusqu'au bout.

Yolande est une militante. Elle militait bien avant notre rencontre. Elle était active au Parti Québécois au cours des années 1970 ainsi qu'au RCM[20] et dans les garderies. Elle a été aussi commissaire d'école au MÉMO[21]. Donc, l'action politique, pour elle, fait partie de la normalité, même si ce n'est pas son métier. Elle est directrice d'école. Elle a certes un fort caractère. Moi aussi. Elle est capable de dire ce qu'elle pense. Elle a ce petit côté en commun avec ma mère. Certes, nous avons parfois des débats musclés, elle est de très bon conseil.

---

19 Claude Robinson, créateur et illustrateur québécois des *Aventures de Robinson Curiosité*, poursuit pour plagiat, depuis 15 ans, Cinar, France Animation, Ravensburger Film, RTV Family Entertainment. http://clauderobinson.org

20 Le Rassemblement des citoyens de Montréal (RCM) est un parti politique actif à Montréal de 1974 à 2001. Le RCM a été au pouvoir dans la métropole québécoise de 1986 à 1994 sous la direction de Jean Doré.

21 Mouvement pour une école moderne et ouverte (MÉMO) de Diane de Courcy, présidente de la Commission scolaire de Montréal.

☐ ***Et aujourd'hui, qu'est-ce qui vous pousse à continuer, vingt ans plus tard ?***

Je continue parce que je crois fermement que le Québec n'a pas d'autre choix que de devenir un pays. Il faut faire ce pays ! Je crois aussi qu'il y a parfois dans l'Histoire des accélérations imprévues, comme je vous l'ai dit. Vous savez où vous allez, mais vous ne pouvez présumer des caractéristiques de la route que vous allez prendre pour arriver à bon port. C'est comme en voyage. Vous savez parfois que vous allez dans la bonne direction, mais vous ne savez pas qu'à l'arrivée il y a une grande descente qui va vous faire accélérer. Sur cette route, il y a aussi des courbes. Il faut savoir les négocier si nous ne voulons pas nous retrouver dans le décor. Ce n'est pas parce que nous ne savons pas quand ou comment nous ferons l'indépendance qu'il ne faut pas continuer la lutte. Il y a bien des batailles dans l'Histoire qui n'auraient jamais été gagnées si ceux qui les menaient avaient abandonné en cours de route.

☐ ***Le 13 août 2010, ça faisait exactement vingt ans pour vous. Comment qualifieriez-vous le mot « durer » ? La force de durer ? Le défi de durer ? La folie de durer ? Qu'est-ce qui fait qu'après vingt ans Gilles Duceppe soit toujours du combat ?***

J'attache beaucoup d'importance à ce qu'on appelle le sens du devoir. Je sais que j'ai des choses à faire et je veux les faire. Lorsque vous croyez en quelque chose, que vous savez que vous pouvez faire les choses, vous devez les faire même si certains matins vous vous dites que la journée s'annonce difficile, que vous êtes fatigué et que vous vous reposeriez bien. La notion de devoir existe dans toutes les philosophies. Il y a dans la vie certaines choses que vous êtes appelé à faire. Si vous êtes en mesure de faire ces choses, vous n'avez pas le droit de passer votre chemin.

Novembre 2009 – Les députées et députés du caucus du Bloc Québécois.

II

LE BLOC QUÉBÉCOIS, UNE FORCE STRATÉGIQUE

« Le Bloc est une force d'opposition précieuse et sans autre préoccupation que celle d'avoir à défendre le Québec et le bien commun. [...] À cause d'une conjoncture historique très spéciale, voilà donc la démocratie pourvue d'un instrument qui n'existe probablement nulle part ailleurs. C'est comme si la démocratie avait enfin trouvé le moyen d'opposer au pouvoir, institutionnellement, un contrepoids dont ce serait l'exclusive raison d'être. [...] Le Bloc est un développement institutionnel inattendu. Il ne faut pas laisser se perdre cet avantage, qui inquiète toute la machine. Le Bloc occupe une position stratégique unique. Il serait insensé de délaisser un tel créneau, de brader un tel pouvoir. »

– Pierre Vadeboncoeur, 18 octobre 2007, *Le Devoir*.

☐ *Permettez-moi d'entrée de jeu de citer le regretté Pierre Vadeboncoeur. « Le Bloc est un développement institutionnel inattendu, a-t-il écrit. Il ne faut pas laisser se perdre cet avantage qui inquiète toute la machine. Le Bloc occupe une position stratégique unique[22]. » Comment percevez-vous cet avantage, comment l'utilisez-vous et, en fait, quelle est cette position stratégique dont parle Pierre Vadeboncoeur ?*

Nous sommes, en effet, dans une position stratégique unique ; c'est-à-dire que nous n'avons que les intérêts et les valeurs du Québec à défendre à Ottawa. Nous ne nous rapportons qu'aux Québécois et nous n'avons pas besoin d'obtenir des votes ailleurs qu'au Québec. Nous pouvons faire des compromis, jamais des compromissions. En somme, notre avantage stratégique repose sur le constat suivant : nous sommes le seul parti du Québec à Ottawa.

Le Bloc Québécois représente la nation québécoise. Il est un parti national, qui occupe une position on ne peut plus stratégique dans la principale enceinte de la démocratie au Canada, son Parlement. C'est une position unique à l'échelle du monde.

Le Bloc s'appuie dans son action sur le fait québécois, sur l'existence et la défense de la nation québécoise. Je dis à mes interlocuteurs hors Québec que leur compréhension de l'échiquier politique canadien repose sur la conviction qu'ils font partie de la nation canadienne. Et même s'il y a autant de différences entre un Albertain et un habitant du Nouveau-Brunswick qu'il y a de différences entre un Californien et un New-Yorkais, l'Albertain et l'habitant du Nouveau-Brunswick se définissent comme étant des Canadiens tout comme le Californien et le New-Yorkais se définissent comme étant des Américains.

22 Pierre Vadeboncoeur, 18 octobre 2007, *Le Devoir*.

Ainsi, le Bloc Québécois n'est pas un parti politique régional ; il représente la nation québécoise. Il est un parti national, qui occupe une position on ne peut plus stratégique dans la principale enceinte de la démocratie au Canada, son Parlement. C'est une position unique à l'échelle du monde. Souvenez-vous lorsque Bernadette Devlin[23] a été élue en 1969. Cela a fait tout un tabac. Elle était toute seule à Westminster cette année-là. Le Bloc, lui, a même été l'Opposition officielle à Ottawa. C'est plutôt unique, non ? D'autant plus que nos électeurs au Québec savent très bien qu'ils vont nous élire même si nous ne serons pas au pouvoir. Ce n'est pas une petite affaire !

De plus, puisque vous me demandez comment nous utilisons cette position stratégique, nous agissons différemment à Ottawa des autres députés du Québec. Cela est fondamental pour moi. Je ne dis pas que les députés du Québec des formations fédéralistes n'ont pas de mandat légitime ; ils en ont un tout autant que moi. Ils représentent un courant au Québec. Ils le représentent tout autant que je représente le mien. Mais lorsque vient le temps de se prononcer au Parlement canadien sur des motions unanimes de l'Assemblée nationale, donc de l'instance suprême de la nation québécoise, les députés du Bloc sont les seuls à appuyer systématiquement l'avis souvent unanime des élus de notre Parlement. À Ottawa, les autres députés du Québec doivent sans cesse composer avec ce qu'ils appellent « l'intérêt pancanadien ». Ils disent : « Parfois nous en donnons, parfois nous en prenons. » Mais lorsqu'on fait le compte, je vous assure qu'ils en donnent bien davantage qu'ils n'en prennent. Ils sont toujours minoritaires !

Et puisque nous sommes une nation, il me semble normal, lorsque les fédéralistes et les souverainistes s'enten-

23 Bernadette Devlin est une politicienne d'Irlande du Nord. Fondatrice du Parti socialiste républicain irlandais (1974), elle a siégé au Parlement du Royaume-Uni, de 1969 à 1974.

dent à l'Assemblée nationale, que les députés du Québec à Ottawa appuient ces consensus.

Il me semble normal que nos gens à Ottawa ne disent pas le contraire de ce que dit l'Assemblée nationale lorsque celle-ci est unanime. Cette solidarité devrait aller de soi lorsqu'on parle du destin d'un peuple.

Il me semble normal de briser, comme le fait le Bloc, ce cycle contre-productif de double légitimité. Je déplore que certains à Ottawa tentent de vendre l'inacceptable aux Québécoises et aux Québécois. Les députés du Bloc ne laissent pas passer l'inacceptable. Ils font même certains gains, mais inévitablement, ces gains sont beaucoup moins importants que ceux que nous ferions si nous étions un pays. Nous n'aurions pas ces problèmes. Quand l'Assemblée nationale serait unanime, nous irions de l'avant, point final.

Il me semble normal de briser, comme le fait le Bloc, ce cycle contreproductif de double légitimité. Je déplore que certains à Ottawa tentent de vendre l'inacceptable aux Québécoises et aux Québécois.

☐ ***Comment expliquez-vous que ces partis fédéralistes à Ottawa ne soient pas davantage préoccupés de satisfaire le Québec ? N'y aurait-il pas des gains à faire aux dépens du Bloc ?***

Quand les députés de la Chambre des communes ont reconnu la nation québécoise, le Bloc a déposé plusieurs projets de loi et cela n'aurait pas été difficile pour le Canada de les adopter parce que cela ne touchait pas à la Constitution. Nous avions vérifié de A à Z afin qu'ils ne puissent utiliser ce prétexte. Le Bloc proposait, par exemple, que le Canada accepte de modifier une loi pour que les gens puissent travailler en français au Québec. Il est incompréhensible qu'ils aient refusé. Cela ne leur enlevait rien que la loi 101 soit respectée dans les milieux de travail et ils auraient pu marquer des points au Québec. Mais ils ne l'ont pas fait. Se pourrait-il que ce soit parce qu'ils savaient très bien que s'ils l'avaient fait, ils auraient reçu deux claques aller-retour de l'opinion canadienne ?

Les Québécois des partis fédéraux, ici à Ottawa, Josée Verner et compagnie, par exemple, ont dit : « Si, au Québec, le français est la langue officielle, nous, notre devoir en tant qu'élus fédéraux, est de promouvoir le bilinguisme au Canada partout et y compris au Québec. » Ce serait aller à l'encontre de l'esprit canadien, disent-ils, que de faire en sorte que la loi 101 s'applique aux entreprises de compétence fédérale. Leur loyauté va au Canada, pas au Québec, et ils permettent aux Canadiens de se dire : « Voyez, il y a des Québécois qui refusent de faire des concessions au Québec, qui sont contre cette idée d'appliquer la loi 101. » C'est bien commode pour le Canada qui peut ainsi se voiler les yeux. Mais pensez-vous que les députés du Québec de ces partis n'aimeraient pas satisfaire le Québec et passer pour des héros chez nous ? Ils aimeraient cela, mais ça leur est interdit par l'opinion canadienne et conséquemment par leur parti.

Nos adversaires politiques savent parfaitement bien que chaque fois qu'ils tentent de faire passer une loi ou une motion qui va à l'encontre des intérêts du Québec, il y a des hommes et des femmes qui se lèvent à la Chambre des communes pour dire non.

☐ ***Et l'avantage stratégique qui « inquiète toute la machine », qu'est-ce que cela veut dire au juste ?***

Que tous les députés du Bloc Québécois à Ottawa sont des empêcheurs de tourner en rond. Nos adversaires politiques savent parfaitement bien que chaque fois qu'ils tentent de faire passer une loi ou une motion qui va à l'encontre des intérêts du Québec, il y a des hommes et des femmes qui se lèvent à la Chambre des communes pour dire non alors que dans le temps, avant l'avènement du Bloc, personne ne se levait ou à peu près personne.

Rappelez-vous 1981. Les libéraux veulent rapatrier la Constitution alors que tout le Québec est contre. Il n'y a que Louis Duclos[24] qui s'est véritablement tenu debout. Tous les autres ont voté contre le Québec. Rappelez-vous aussi la conscription. Je ne dis pas qu'il ne fallait pas faire la guerre à Hitler. Il fallait la faire. Mais la méthode, encore une fois, était méprisante envers le Québec et c'est en se servant des Québécois élus à Ottawa que le gouvernement canadien a légitimé cette façon de faire. Avec le Bloc, ce n'est plus possible.

□ ***Vous avez utilisé le terme « résistance » en mars 2010, en parlant du rôle du Bloc Québécois à Ottawa, ce qui vous a valu bien des hauts cris ; certains vous ont même reproché d'utiliser un mot qui fait référence à la Résistance française et de comparer, sans l'énoncer clairement, le reste du Canada au nazisme. Est-ce vraiment ce que vous vouliez dire ?***

Bien sûr que non ! Dans mon discours, j'ai dit que nous résistions et je m'inspirais de Pierre Vadeboncoeur. Je le redis sans hésiter. Nous avions inauguré notre Conseil général par un hommage à M. Vadeboncoeur en lisant son fameux texte[25] dans lequel il parle de résistance. Les réactions ont été ridicules. Est-ce à dire que nous ne pourrons plus parler de la

---

24 Louis Duclos (PLC-Montmorency (1974-1984)). Il a voté contre le rapatriement de la Constitution, de même que Jacques Olivier (PLC-Longueuil (1972-1984)), qui a agi ainsi pour d'autres raisons.

25 Extrait de « Refus et résistance », 26 janvier 2010. « Sur un siècle, nous avons manifesté de manière soutenue une tendance à nous écarter de la normalité constitutionnelle. [...] Voici quelques jalons. Ils forment un beau chapelet de paradoxes, du point de vue du ROC.

Révolution tranquille sans que celle-ci soit assimilée aux révolutions françaises ou américaines ? Est-ce à dire que nous ne pouvons plus utiliser le mot « résistance » parce qu'il appartiendrait au vocabulaire de la lutte des Français contre l'occupation nazie ? J'ai demandé aux journalistes qui m'ont interrogé là-dessus si ceux qu'ils appellent leurs « camarades » étaient tous des communistes. J'ai demandé à René Homier-Roy[26] si ceux qu'il appelle ses « collaborateurs » à la radio étaient tous des pétainistes. Nous tombons là dans une sorte de « rectitude politique » navrante.

Or, lors de cette conférence de presse qui a suivi mon discours en mars, on me demande si je comparais le Bloc à la Résistance française. J'ai répondu très clairement que le Canada était un grand pays, une grande démocratie et qu'il n'y avait aucune comparaison possible à faire entre le Bloc Québécois et la Résistance française.

Quand je parle de résistance, il est évident que je parle du travail que nous accomplissons à Ottawa. Nous résistons au rouleau compresseur canadien.

Pour prendre le pouvoir, il faut être sur un mode offensif et c'est au Québec que cela se passera. Quand on parlait du vrai pouvoir en 1993, c'était très clair, nous faisions allusion

---

Henri Bourassa contre Laurier, en 1910. L'Action libérale nationale, dans les années trente, contre le libéral Taschereau et les partis traditionnels. Le Bloc populaire, dans les années quarante, contre le gouvernement libéral de Mackenzie King et contre la conscription. Le séparatisme de Chaput et de Barbeau, suivi de tout le mouvement indépendantiste, qui dure depuis. En 1968, René Lévesque et le mouvement souveraineté-association. Le Parti Québécois, porté au pouvoir le 15 novembre 1976. Enfin le Bloc, au fédéral, par la suite.
C'est une constante historique. Il faut en faire ressortir la logique, qui est celle de la résistance. Cela a traversé le siècle. Ses différentes manifestations forment les maillons d'une même chaîne. Ce ne sont pas des accidents fortuits et sans suite. Distincts en apparence comme événements, ils sont liés au contraire organiquement. Ils illustrent l'équivoque dans laquelle nous sommes par rapport au Canada. »

26 René Homier-Roy, journaliste et animateur, notamment à l'émission *C'est bien meilleur le matin* de la Société Radio-Canada

au fait que pour que le Québec prenne vraiment le pouvoir, il devait se donner un pays. La résistance a un rôle à jouer dans cela.

☐ ***Vous parlez de « résister au rouleau compresseur canadien », iriez-vous jusqu'à confirmer l'image du Québec faisant face à un mur : le Canada.***

Le mur est bien réel. Que dit au Québec le reste du Canada ? Il dit : « Cela sert à quoi vos changements constitutionnels ? Écoutez, vous prenez ce qui est là en ce moment, point à la ligne, et ne venez plus nous embêter avec vos demandes de changements constitutionnels ! » Cela est évidemment facile à dire quand vous formez la majorité et que vous considérez que vous n'avez aucun problème constitutionnel. Mais si le reste du Canada avait un problème constitutionnel, les Canadiens seraient les premiers à dire que des changements serviraient à quelque chose.

Mais si la souveraineté ne sert à rien, comme ils le prétendent, pourquoi tiennent-ils tant à la leur ? Pourquoi la souveraineté serait-elle bonne et si importante pour eux et qu'elle ne le serait pas pour nous au Québec ?

Le Québec ne peut donc logiquement rien attendre d'un mur. Si nous voulons prétendre à un avenir en tant que Québécois, il nous faut acquérir tous les outils nécessaires à la réalisation de cette salutaire et noble entreprise. Nous ne pouvons prétendre à un avenir national avec seulement une partie des moyens politiques ; il nous faut tous ces moyens.

Bien sûr, les Canadiens me répondent immanquablement que la souveraineté est « plus ou moins importante de nos jours, puisque nous vivons l'ère de la mondialisation. » Je leur dis alors : « Très bien. J'ai une très bonne idée à vous proposer. Nous allons tous nous intégrer aux États-Unis. » Évidemment, ils s'opposent à cela et me disent que c'est impossible, qu'ils ne veulent absolument pas faire cela, que ce serait un drame. Mais si la souveraineté ne sert à rien, comme ils le prétendent, pourquoi tiennent-ils tant à la leur ? Pourquoi la souveraineté serait-elle bonne et si importante pour eux et qu'elle ne le serait pas pour nous au Québec ?

Le lendemain de mon élection à la tête du Bloc en 1997, je reçois l'ambassadeur du Japon. Il me demande pourquoi, à l'époque des grands ensembles et de la mondialisation, nous voulons faire l'indépendance du Québec.

« Justement, lui ai-je répondu, je me suis toujours demandé pourquoi le Japon ne s'intégrait pas à la Chine.

– Mais vous n'y pensez pas, me lance-t-il scandalisé. Nous n'avons pas la même histoire. Nous n'avons pas la même langue. Nous n'avons pas la même façon de faire les choses. Nous n'avons pas les mêmes institutions économiques. Vous ne saviez pas cela ?

– Mais oui, je sais tout cela, mais je voulais tout simplement vous l'entendre dire.

– Oh ! Je viens de comprendre… », a-t-il alors fait.

☐ ***Dans le fond, le Canada fait tout pour que la nation québécoise demeure, et je dirais même soit réduite, à sa condition de province.***

Si nous regardons comment les choses se passent, vous n'avez pas tort. Le Canada voudrait cantonner le Québec dans les choses provinciales et c'est justement pour cela que nous voulons rapatrier tous ces pouvoirs au Québec. Le Bloc à Ottawa fait en quelque sorte la démonstration des limites qui nous sont imposées par le Parlement fédéral. Bien sûr, les fédéralistes nous disent que notre refus de jouer le jeu, de participer à la vie des partis fédéralistes au Québec nous prive d'une place autour de la table du conseil des ministres et d'une possibilité plus grande de faire avancer les choses. Je leur réponds que cela est complètement faux, que c'est un leurre. Je leur rappelle qu'ils ont été autour de la table du cabinet pendant 143 ans et que cela nous a amenés là où nous sommes aujourd'hui, c'est-à-dire face à un Canada qui n'a plus rien à nous offrir.

Nous ne pouvons pas dire que sous les gouvernements de Jean Chrétien et de Paul Martin, il n'y avait pas de Québécois à la table du cabinet. Sous Jean Chrétien, le premier ministre et le ministre des Finances étaient du Québec. Mais est-ce que cela a changé quelque chose ?

Est-ce que cela nous a permis d'obtenir gain de cause en matière constitutionnelle, de recevoir des réponses favorables à nos demandes historiques fondamentales ? Est-ce que ce gouvernement a reconnu et réglé le déséquilibre fiscal ? Au contraire.

Dans les années 1960 et 1970, il y avait des Québécois autour de la table lorsque le gouvernement fédéral a voulu tracer la ligne Borden, quand il a voulu empêcher la Caisse de dépôt d'acquérir le Canadien Pacifique et quand les libéraux fédéraux ont imposé les mesures de guerre au Québec. Des mesures de guerre ! On a tendance à oublier cela aujourd'hui, mais quand on y pense : que des Québécois participent et même qu'ils soient à l'origine de ce triste épisode, je n'en reviens toujours pas.

Ils étaient tous autour de la table, ces Québécois du Parti libéral du Canada, quand ils ont rapatrié la Constitution. Le premier ministre était du Québec et le ministre de la Justice s'appelait Jean Chrétien. Là encore, ce fut un geste d'une rare gravité que d'imposer une Constitution à une nation qui n'en voulait pas. Surtout une Constitution qui devait durer 1000 ans, selon les mots mêmes de Trudeau.

Entre 1970 et 1999, ils étaient tous autour de la table lorsque Ottawa a versé 66 milliards de dollars en avantages divers, en subventions au pétrole, au gaz naturel et au charbon, et quand il a versé 6 milliards de dollars à l'industrie nucléaire, alors qu'Hydro-Québec ne recevait pas un seul sou. Ils ont toujours tous été autour de la table et qu'est-ce que cela nous a donné ?

La preuve a été faite maintes fois que le Canada a souvent des intérêts divergents de ceux du Québec et les élus du Québec prennent toujours la part du Canada. Sinon, il ne leur reste qu'à démissionner.

Autrement dit, pendant près d'un siècle et demi, nous avons essayé cette stratégie et elle nous a menés dans le cul-de-sac où nous sommes actuellement. Aujourd'hui, le Bloc résiste et brise la double légitimité. Mais c'est une stratégie qui ne doit pas être permanente. Le temps est venu de regarder les choses en face et d'aspirer à autre chose qu'à cette condition de province comme les autres ; le temps est venu d'écrire notre propre histoire et de l'assumer. C'est à Québec et au Québec que nous devons régler cela.

Autrement dit, pendant près d'un siècle et demi, nous avons essayé cette stratégie et elle nous a menés dans le cul-de-sac où nous sommes actuellement. Aujourd'hui, le Bloc résiste et brise la double légitimité.

☐ ***Tout à l'heure, vous m'avez dit que « pour prendre le pouvoir, il faut être sur un mode offensif et c'est au Québec que cela se passera ». Est-ce que vous considérez que le Bloc Québécois est un véhicule politique normal puisqu'il ne sera jamais au pouvoir ?***

Premièrement, je dirais que tant que le Québec ne sera pas un pays normal, comme disait Bourgault[27], la politique chez nous ne sera pas « normale.» Après tout, ce n'est pas normal que le Québec se soit fait imposer une Constitution contre son gré. Vous pouvez chercher dans le monde une autre démocratie où un peuple comme le nôtre s'est fait imposer une Constitution contre son gré, vous n'en trouverez pas.

Par ailleurs, la normalité en démocratie consiste à représenter les intérêts de ceux et celles qui nous font confiance. En ce sens-là, le Bloc Québécois est un véhicule politique normal.

Par ailleurs, la normalité en démocratie consiste à représenter les intérêts de ceux et celles qui nous font confiance. En ce sens-là, le Bloc Québécois est un véhicule politique normal.

Nos opposants aux Communes, qu'ils soient au pouvoir ou dans l'opposition, répètent sans cesse la même chose à propos du Bloc. C'est un peu étrange quand on y pense. Comment se fait-il qu'ils ne nous combattent pas sur la base de nos idées, de notre idéologie, comme tous les partis politiques le font habituellement ?

Il faut décoder ce comportement, comprendre pourquoi les partis fédéralistes essaient très rarement de débattre du fond des choses avec nous au Québec. La raison en est très claire

27 Pierre Bourgault, homme politique (président du Rassemblement pour l'indépendance nationale (RIN), 1964-1967), professeur d'université, éditorialiste et animateur de radio. Grand défenseur de la langue française, il a milité avec passion jusqu'à la fin sa vie, en 2003, pour l'indépendance du Québec.

pour moi : c'est parce qu'ils savent très bien que sur le terrain des idées, des positions, ils ne peuvent rien contre le Bloc. Ils sont impuissants sur le terrain des idées parce qu'ils défendent les intérêts du Canada et nous, ceux du Québec. Alors, ils attaquent notre légitimité, ils tentent de nous contourner en réduisant le poids politique du Québec ou ils trichent, comme dans le cas des commandites.

La dernière tactique en ce sens, la plus vile que j'ai vue en vingt ans, c'est celle des conservateurs qui nous accusent de défendre les pédophiles. Ça, c'est vraiment d'une bassesse, d'une médiocrité sans nom.

☐ ***Au cours de ces vingt ans, le Bloc Québécois a été caractérisé, au grand dam de vos adversaires, par le phénomène de la constance, de la durée. Pourquoi les Québécois vous réélisent-ils élection après élection depuis 1990 ?***

Tout simplement parce qu'ils se reconnaissent dans le Bloc, qui est le seul parti du Québec à Ottawa, et qu'ils ont la certitude que nous ne les tromperons pas. Chaque fois que l'on rentre aux Communes après une pause parlementaire, je demande à mes députés ce que les gens leur ont dit du Bloc dans leur circonscription. Au milieu des années 1990, les électeurs leur disaient : « Vous faites une maudite belle job ! » Ces dernières années, ce que mes députés entendent le plus souvent se résume à ceci : « Ne nous lâchez pas, continuez ! »

☐ ***Après vingt ans d'existence, nous devons parler d'une certaine continuité.***

Le Bloc n'a que vingt ans, ce qui est bien peu lorsqu'on mesure cela à l'aune de l'Histoire. Il y a cette phrase de Pierre Bourgault que j'aime beaucoup citer. Il a dit : « Nous ne voulons pas être une province pas comme les autres. Nous voulons être un pays comme les autres. » Et c'est exactement là où nous nous situons. S'il ne doit pas y avoir de continuité pour le Bloc Québécois, il doit par contre y avoir une continuité pour la nation québécoise.

Mais en attendant, nous n'avons pas le choix; nous devons être à Ottawa. Si nous n'étions pas là, il y aurait à notre place des députés fédéralistes qui feraient tout – comme c'était le cas avant l'arrivée du Bloc – pour faire échec à ce qui se passe au Québec, pour contredire les souverainistes quand ils sont au pouvoir à Québec et même les fédéralistes de l'Assemblée nationale. En étant à Ottawa, le Bloc peut mettre toutes ses ressources au service de la nation québécoise et au service de la cause souverainiste.

☐ ***Imaginons un scénario radical, une sorte d'électrochoc. Le Bloc Québécois décide demain matin de faire ses valises, de retourner à Québec afin de confronter les Québécois à un Parlement fédéral composé entièrement de fédéralistes et afin de provoquer un élan vers la souveraineté ?***

Nous ne ferons jamais cela. Ce serait comme dire ou démontrer que la souveraineté du Québec n'est plus possible. Les gens perdraient confiance en nous. Nous perdrions de plus les moyens que nous avons en ce moment, nous enverrions un signal de défaite. Et cela, c'est la pire des choses qui puisse arriver en politique : le drapeau blanc qui signale la fin.

La politique, c'est la guerre sans armes, c'est l'affrontement des idées. Il y a des vainqueurs et il y a des vaincus. Si vous êtes un général, vous ne pouvez pas me dire d'abandonner les lignes de défense que j'ai organisées un peu partout afin d'empêcher l'adversaire d'avancer. Cela n'aurait aucun sens. Or le Bloc, c'est justement cela : une ligne défensive. Si vous abandonnez vos lignes défensives, vous laissez à votre adversaire toute la marge de manœuvre nécessaire dont il aura besoin pour vous combattre sur votre propre terrain.

Il faut plutôt – et c'est ce que nous faisons – aller sur le terrain de l'adversaire défendre les positions de notre équipe au pouvoir à Québec. Et même lorsque ce n'est pas le Parti Québécois qui est au pouvoir à Québec, nous devons rester à Ottawa pour défendre les demandes de la nation québécoise. Les projets de loi et les motions que les fédéralistes adoptent à Ottawa, c'est, la plupart du temps, la politique du pire pour le Québec. Or, il faut être sur le terrain pour la combattre.

Mais en attendant, nous n'avons pas le choix ; nous devons être à Ottawa. Si nous n'étions pas là, il y aurait à notre place des députés fédéralistes qui feraient tout – comme c'était le cas avant l'arrivée du Bloc – pour faire échec à ce qui se passe au Québec, pour contredire les souverainistes quand ils sont au pouvoir à Québec et même les fédéralistes de l'Assemblée nationale.

Au-delà de la ligne défensive à Ottawa, le Bloc c'est toute une équipe qui prépare la souveraineté, qui contribue à renforcer le mouvement souverainiste, à élaborer le projet. C'est notre côté « ligne offensive », pour reprendre l'analogie footballistique. C'est l'autre aspect du Bloc Québécois.

C'est comme dans la vie. Si vous perdez votre emploi, que votre couple éclate, que votre maison passe au feu et que votre voiture est volée, vous risquez de perdre confiance en la vie et de ne plus avoir la force de changer les choses. Par contre, lorsque tout va très bien, que vous avez des succès, vous avez le goût d'en avoir davantage. Ainsi, le mouvement souverainiste a pris son essor sous Jean Lesage qui a brisé l'isolement, qui a lancé le Québec de l'avant. Et Jean Lesage était un fédéraliste. Il a fait en sorte que les Québécois commencent à se dire qu'ils sont capables de faire des choses et surtout d'en faire davantage. Lorsque vous découvrez que vous êtes capable d'opérer des changements, d'améliorer seul votre sort, que vous goûtez en somme à la liberté, vous avez le goût d'une plus grande liberté pour faire encore de plus grandes choses.

☐ ***Par ailleurs, vous connaissez la thèse de la journaliste Chantal Hébert sur la présence du Bloc à Ottawa. Elle affirme dans son livre*** **French Kiss**[28] ***que vous avez démontré pendant toutes ces années que le Canada pouvait fonctionner et que le Bloc a contribué à réduire l'aliénation des Québécois à l'égard de la politique fédérale. Est-ce exact ?***

Oui et non. Oui, dans le sens où les Québécois se sont davantage approprié les enjeux traités au niveau fédéral. Je pense en particulier aux affaires internationales. Et cela, à mon sens, c'est très positif pour le Québec et pour le mouvement souverainiste.

Mais d'un autre côté, nous jetons la lumière sur le côté sombre du gouvernement fédéral pour le Québec. Les commandites en sont un bon exemple. Au moment des audiences de la commission Gomery, comme je vous l'ai dit, les intentions de vote souverainiste ont atteint 55 %. On peut dire que l'aliénation des Québécois envers la politique fédérale était très forte à ce moment-là. Nous y étions pour quelque chose.

Évidemment, si nous n'étions pas là, Ottawa s'en donnerait à cœur joie contre le Québec. Il y aurait 75 fédéralistes du Québec pour affirmer que tout va bien, pour servir de porte-voix au Canada. Quant à dire que le Canada fonctionne, il faut

---

28 *French Kiss, le rendez-vous de Stephen Harper avec le Québec*, par Chantal Hébert, Les éditions de l'Homme, Montréal, 2007, 328 p.

se demander pour qui il fonctionne. Certainement pas pour le Québec.

☐ ***D'un autre côté, nous pourrions dire également que la présence du Bloc à Ottawa établit* de facto *la souveraineté du Québec. Je veux dire par là que sans avoir fait l'indépendance nous nous considérons au Québec comme étant dans un autre pays que le Canada. Nous vivons une situation ambiguë ; comme si nous voulions une chose et son contraire en même temps.***

C'est ce qu'Yvon Deschamps appelait, dans un de ses monologues, « un Québec indépendant dans un Canada fort et uni ». D'une certaine façon, ce n'est pas tellement loin de ce que Lévesque disait, c'est-à-dire « un Québec souverain dans une union canadienne ». C'était la thèse de Lévesque.

Est-ce que les Canadiens un jour se rendront compte que c'est cela l'avenir, c'est-à-dire des nations qui se donnent leur pays et des pays qui collaborent entre eux à l'intérieur de grands ensembles ?

Est-ce que les Canadiens un jour se rendront compte que c'est cela l'avenir, c'est-à-dire des nations qui se donnent leur pays et des pays qui collaborent entre eux à l'intérieur de grands ensembles? Parfois, il faut écouter les humoristes. Mon père me disait : « Si tu veux savoir ce que seront les découvertes de demain, lis les bandes dessinées. Tintin est allé sur la lune. Nous allons y aller un jour. Lorsque j'étais jeune, on nous parlait d'avions sans hélice. Cela nous faisait bien rire. Pourtant, aujourd'hui, les avions ont des réacteurs. Jules Verne a fait le tour du monde. Plonge dans le monde de la lecture, de l'imaginaire, et tu sauras quelles sont les découvertes scientifiques à venir. »

Ainsi, il y a parfois des formulations qui nous paraissent drôles, comme celle que je viens de citer de Deschamps. Il n'y a pas de contradiction, en réalité. Seulement, pour pouvoir participer à quelque chose, encore faut-il exister.

C'est ce que Lévesque proposait et c'est ce que Boutros Boutros-Ghali[29] propose aussi. Ce dernier souligne qu'il y a actuellement dans le monde deux grands courants, les États-nations et la mondialisation. Il fait remarquer que la mondialisation va de pair avec une multiplication rapide des États-nations. Il propose cependant une autre dialectique à ce qu'il appelle le couple nationalisme/mondialisation. Il propose d'y substituer le couple nationalités/universalisme. « Pour entrer en relation avec l'Autre, écrit-il, il faut d'abord être soi-même. C'est pourquoi une saine mondialisation de la vie moderne suppose d'abord des identités solides. »

C'est vers cela que nous voulons aller, vers la reconnaissance de l'État-nation du Québec qui nous mènerait à l'universel, à la collaboration avec de grands ensembles, l'ALÉNA, l'ONU.

C'est vers cela que nous voulons aller, vers la reconnaissance de l'État-nation du Québec qui nous mènerait à l'universel, à la collaboration avec de grands ensembles, l'ALÉNA, l'ONU, etc. Boutros-Ghali dit encore que l'identité locale était la clé de l'universel, qu'elle permettait à chaque individu de trouver un intermédiaire entre l'univers, qui le dépasse, et sa condition solitaire – ne serait-ce que parce qu'il lui faut une langue de départ pour comprendre et déchiffrer le monde extérieur. Il lui faut des solidarités pratiques, et un ensemble de références culturelles, en un mot « un code d'accès au monde ». Pour nous, la langue c'est le français et le code d'accès la québécitude.

Nous revenons en somme à la question des questions, celle de Shakespeare : « être ou ne pas être ». Telle est en effet

29 Boutros Boutros-Ghali , homme d'État et diplomate égyptien. Il fut le sixième secrétaire général de l'ONU, de janvier 1992 à décembre 1996.

la question, celle que le Québec devra bien trancher un jour ou l'autre pour en finir avec l'ambiguïté.

☐ ***Au cours de ces vingt ans du Bloc Québécois à Ottawa, vous avez certainement gagné quelques batailles. De quoi êtes-vous le plus fier lorsque vous regardez le chemin parcouru ?***

Je pense que notre plus grande réalisation a été de faire en sorte que la Chambre des communes se soit sentie obligée de reconnaître la nation québécoise.

☐ ***Est-ce vraiment si important que cela ? Ne s'agit-il pas d'une simple motion dont le libellé n'est nullement enchâssé dans la Constitution canadienne ?***

C'est une simple motion, mais elle est désormais reconnue partout où l'on va. Nous ne pourrons plus jamais revenir en arrière et nous qualifier de simple « société distincte ». Nous avons fait un bond qualitatif.

« Le Canada devient le premier pays d'une longue série à reconnaître la nation québécoise. » L'importance de cette « simple » motion va apparaître à mesure que le temps va passer.

Cette motion, nous pouvons l'utiliser en tout temps. Elle nous permet de mettre nos adversaires politiques face à leurs contradictions. Elle permet de leur dire dans tel ou tel dossier : « Vous avez reconnu la nation québécoise, cela devrait vouloir dire ceci ou cela. » Cette motion est pour nous un objet de dialectique. La politique c'est une dialectique, au sens où on l'entend depuis l'Antiquité. Et à partir du moment où le Canada nous reconnaît comme nation – même si c'est une reconnaissance que le Canada ne veut pas concrétiser – les contradictions apparaissent et le statut de province qu'a le Québec dans le Canada apparaît dans toute son absurdité. Et puis, un jour, quand le temps sera venu de demander à la communauté internationale de reconnaître la souveraineté du Québec, cela renforcera notre position.

Je vais vous faire une confidence. Quand cette motion était sur le point d'être votée, j'ai parlé avec Lucien Bouchard et il y voyait, comme nous, un gain pour le Québec. Il m'a suggéré une phrase que j'ai reprise : « Le Canada devient le premier pays d'une longue série à reconnaître la nation québécoise. » L'importance de cette « simple » motion va apparaître à mesure que le temps va passer.

☐ ***Mais il est pourtant bien précisé dans la motion qui a été adoptée aux Communes que la reconnaissance de la nation québécoise se fait dans un « Canada uni ».***

Tout à fait. Mais si nous sommes une nation dans un Canada uni, imaginez le jour où nous aurons notre pays ; nous ne cesserons certainement pas d'être une nation. Le Canada, évidemment, est uni tant qu'il n'est pas désuni. Et puis, il sera tout autant uni – sinon plus – lorsque nous ne serons plus là, mais d'une façon différente. Cette expression ne veut rien dire. Elle permettait simplement aux Stéphane Dion et Stephen Harper de ce monde de sauver la face devant l'électorat canadien.

Dans l'analyse de Drouilly dont je vous parlais un peu plus tôt et qui repose sur un sondage, on apprend que 83 % des Canadiens refusent d'envisager l'idée que la nation québécoise soit reconnue dans la Constitution ; 83 %, c'est une majorité écrasante. Alors, que nous ayons obtenu, après des années de lutte, la reconnaissance de la nation québécoise, c'est un tour de force.

☐ ***Sur la scène internationale, il y a parfois certaines résistances à reconnaître et à soutenir la nation québécoise. Je pense notamment à la sortie du président français, Nicolas Sarkozy, qui a affirmé en octobre 2008 en présence du premier ministre Stephen Harper que le monde n'avait pas besoin d'une division supplémentaire, en parlant du projet indépendantiste québécois.***

Il faut analyser ce genre de déclaration en fonction des intérêts des uns et des autres. Nous savons que M. Sarkozy a des liens très forts avec Paul Desmarais, qui est sans doute le plus féroce adversaire de la souveraineté du Québec. Le président français a même dit qu'il ne serait pas passé à travers la course à la présidence n'eussent été le soutien et les conseils de M. Desmarais. Ça compte ce genre de liens très forts.

À la suite de ces déclarations, Pauline et moi avons écrit au président français. Il nous a répondu par écrit que ce qu'il a dit n'était pas ce qu'il voulait dire. D'ailleurs, même Jean Charest avait pris ses distances face à la sortie du président français.

Mais l'important pour moi, c'est qu'au moment où le Québec choisira l'indépendance, l'immense majorité de la nation française sera derrière nous. Et même Nicolas Sarkozy, s'il était encore président à ce moment-là, ne pourrait aller à l'encontre de ce sentiment très fort de fraternité qui unit les Québécois et les Français.

☐ *Parlons des réalisations du Bloc Québécois à Ottawa. Il est clair qu'en vingt ans vous avez eu une grande influence sur les politiques sociales canadiennes. Dans certains cas, vous vous êtes démarqués par la résistance que vous avez opposée dans plusieurs dossiers. Je pense à votre bataille pour les congés parentaux, à vos combats dans le domaine de la loi et l'ordre, à des gains comme celui sur le rapatriement de la main-d'œuvre. Vous vous êtes beaucoup intéressés également à la question du crime organisé.*

Nous n'avons pas perdu notre temps à faire des discours idéologiques comme le font les conservateurs sur la loi et l'ordre. C'est nous qui avons amené sur le parquet de la Chambre les projets de loi sur le crime organisé, sur le crime d'association, sur l'élimination des billets de mille dollars ou encore sur le renversement de la preuve lorsqu'il s'agit d'argent acquis illégalement par des organisations criminelles. Nous avons déposé ces projets de loi et ils ont été calqués, puis adoptés.

Je me souviens que nous avions fait une campagne électorale en insistant sur la nécessité de faire du gangstérisme un acte criminel. Nos adversaires fédéralistes s'opposaient à cela. Nous avons dû faire campagne avec des gardes du corps à cause des menaces des Hells. Mon épouse Yolande n'avait même plus le droit de conduire sa voiture et elle était protégée en permanence par deux gardes du corps. C'était du sérieux. Or, lors de la campagne de 2000, à la suite du débat des chefs, j'ai en quelque sorte forcé mes adversaires à embarquer. Finalement, nous avons eu notre loi antigang, même si tout ce que le Canada et le Québec comptaient de juristes s'y opposait. Et nous le voyons aujourd'hui, cette loi est loin d'être une loi inutile.

☐ ***Pourquoi les juristes s'y opposaient-ils ?***

Ils tenaient le même discours que le ministre fédéral de la Justice, Allan Rock, qui m'avait dit qu'il n'était pas question d'arrêter les gens pour ce qu'ils sont, qu'il fallait continuer de les arrêter « pour ce qu'ils font ». Je me souviens lui avoir répondu : « Ils font ce qu'ils font parce qu'ils sont ce qu'ils sont. » Les Hells Angels, ce n'est pas un club de quilles. Lorsqu'un des membres de ce gang se fait tatouer *Filthy Few* sur l'épaule, cela veut dire qu'il a tué des gens. Dans l'est de Montréal, l'original qui décide de se faire tatouer *Filthy Few* et qui n'en est pas un, je vous assure qu'il ne finira pas la soirée. Donc, Réal Ménard[30] et moi-même avons fait des pieds et des mains pour que cette loi antigang soit adoptée. Dans la foulée de l'affaire Daniel Desrochers[31], il fallait absolument agir. Ce fut une longue bataille. Je viens de l'est de Montréal ; je sais le genre de terreur que ces gens-là sèment autour d'eux. Nous ne pouvions laisser les choses se détériorer de la sorte.

☐ ***Vous avez mené aussi une bataille épique pour faire admettre au gouvernement fédéral l'existence d'un déséquilibre fiscal entre Ottawa et les provinces.***

Ce fut une bataille rangée de tout le Québec contre le gouvernement fédéral. Cette bataille dure en fait depuis des décennies et le gouvernement Lesage avait remporté une manche importante dans les années soixante. Il avait à l'époque un fonctionnaire exceptionnel qui le conseillait. Son nom : Jacques Parizeau.

---

30 Réal Ménard, député BQ-Hochelaga (1993-2009), une circonscription de l'est de Montréal où les Hells Angels faisaient des ravages.

31 Daniel Desrochers est un jeune de onze ans tué accidentellement, en 1995, par l'explosion d'une voiture piégée dans le contexte de la lutte que se livraient à l'époque les bandes de motards criminels.

Mais après le référendum de 1995, Jean Chrétien a décidé d'étrangler le Québec financièrement, puis de jouer ensuite les sauveurs en se servant d'un pouvoir de dépenser qui allait être sans limites. C'était la stratégie de l'État fédéral prédateur. Ottawa a complètement déstabilisé l'État québécois en coupant des milliards de transferts pour la santé et l'éducation. Certains ont avancé que le « déficit zéro » était responsable des problèmes du réseau de santé. Mais l'origine du problème venait manifestement des coupes d'Ottawa.

Il fallait réagir et c'est dans ce contexte que Bernard Landry a lancé la commission sur le déséquilibre fiscal avec Yves Séguin à sa tête. M. Landry a réussi à réunir tout le Québec autour des conclusions du rapport. Tout le monde au Québec reconnaissait le déséquilibre fiscal et exigeait son règlement, sauf évidemment les gens du gouvernement fédéral.

Nous avons donc mené la bataille, seuls, à Ottawa. Nous avions tout le Québec derrière nous, mais à Ottawa, ils ne voulaient rien savoir ne serait-ce que de reconnaître le problème, encore moins de le résoudre. Nous en avons fait un enjeu central lors de la campagne de 2004 et avec notre victoire écrasante au Québec, il devenait évident pour nos adversaires que leur refus de reconnaître le déséquilibre fiscal était devenu un boulet pour eux.

Nous avions tout le Québec derrière nous, mais à Ottawa, ils ne voulaient rien savoir ne serait-ce que de reconnaître le problème, encore moins de le résoudre.

Nous avons saisi une occasion à la suite de ces élections. Puisque le gouvernement Martin était minoritaire, nous débattions avec lui et avec les autres partis de l'opposition de la teneur du discours du Trône d'octobre 2004. Le Bloc avait bel et bien l'intention de voter contre ce discours du Trône qui ne reconnaissait pas explicitement le déséquilibre fiscal, à moins que le discours ne fût amendé.

Notre opposition contrariait beaucoup le chef de l'opposition, Stephen Harper, qui ne voulait vraiment pas d'élections générales anticipées, ce qui se serait produit si le discours du Trône avait été battu lors du vote aux Communes. M. Harper voulait donc notre appui pour maintenir le gouvernement libéral en place encore quelque temps. Je lui ai répété que sans la reconnaissance du déséquilibre fiscal le Bloc voterait contre le discours du Trône. Il était plutôt irrité et nerveux face à notre position. Mais nous tenions le bon bout du bâton.

Je suis allé m'entraîner au gymnase cet après-midi-là. J'ai reçu un appel téléphonique qui m'annonçait que les conservateurs voulaient me voir de toute urgence. Nous avions jusqu'à 17 h 30 pour nous entendre avec le premier ministre Martin. Sans une entente, je vous le répète, nous retournions en élections. Les conservateurs décident d'accepter notre point de vue et nous nous rencontrons au bureau de Paul Martin. Ce dernier ne voulait pas de l'expression « déséquilibre fiscal ». « Il nous la faut ! » lui avons-nous fait comprendre. La discussion a duré une demi-heure, peut-être trois quarts d'heure. M. Martin ne voulait pas non plus se représenter si tôt devant l'électorat. Les gens de Paul Martin nous revenaient alors sans cesse avec diverses formulations. Finalement, ils nous proposent d'inclure dans l'amendement en cause l'expression « pressions fiscales ou ce que certains appellent déséquilibre fiscal ». C'était réglé, du moins en ce qui concerne la reconnaissance du problème.

☐ ***Le déséquilibre fiscal faisait donc partie dès ce moment-là du vocabulaire gouvernemental. Mais est-ce à dire que le déséquilibre fiscal entre Ottawa et les provinces a été par la suite réglé ?***

Ottawa affirme que la question est réglée alors qu'elle ne l'est pas. Le gouvernement fédéral a certes consenti à un règlement financier en haussant ses transferts, mais le problème d'ordre fiscal demeure entier. M. Harper m'a d'ailleurs déjà dit que son gouvernement ne pourra jamais régler le déséquilibre fiscal, puisqu'il ne peut s'entendre avec tout le monde. C'est très révélateur. Il n'y a rien qui empêche le gouvernement fédéral de céder au Québec un espace fiscal pour que nous puissions administrer nous-mêmes nos propres affaires. Cela n'enlèverait rien au Canada. Mais nous l'avons vu dans les sondages et on s'en aperçoit en Chambre, au Canada, ce serait perçu comme un privilège accordé au Québec. Imaginez cela : laisser le Québec s'occuper de ses propres affaires – la santé, l'éducation – c'est inacceptable pour le Canada ! Quand je vous dis que l'opinion s'est durcie au Canada et qu'il n'y a plus rien à attendre...

Stephen Harper ne peut pas, d'une part, reconnaître la nation québécoise et, d'autre part, déposer des projets de loi qui diminuent son poids politique au sein du Canada.

Je vous signale d'ailleurs que le déséquilibre fiscal existe non seulement quand il y a des surplus, il existe aussi lorsqu'il y a des déficits. Qu'est-ce que le déséquilibre fiscal ? Il y a déséquilibre fiscal lorsque le gouvernement fédéral tire trop de revenus fiscaux en regard des responsabilités qui sont les siennes. S'il engrangeait l'argent uniquement en fonction des responsabilités fédérales, il n'y aurait pas de déséquilibre. Nous saurions qu'il impose les citoyens en fonction de ses responsabilités. Mais là, le Québec demeure vulnérable à une décision arbitraire et unilatérale d'Ottawa. C'est cela le fédéralisme canadien.

☐ ***Vous vous battez également pour que le Québec conserve son poids politique au sein de la Confédération. N'est-ce pas un combat perdu d'avance ?***

Le combat sera véritablement gagné quand nous aurons 100 % des sièges, soit quand nous aurons notre pays.

En attendant, ce que nous disons, dans le cadre actuel, est que Stephen Harper ne peut pas, d'une part, reconnaître la nation québécoise et, d'autre part, déposer des projets de loi qui diminuent son poids politique au sein du Canada.

Il faut se rendre à l'évidence que notre poids politique diminue à Ottawa. Bien sûr, certains au Québec disent qu'il est normal que le nombre d'élus provenant d'une province soit établi partout en fonction du nombre d'habitants de cette province. C'est une règle générale qui paraît raisonnable. Mais lorsqu'on y regarde de plus près, nous nous rendons compte qu'en 1840 cette règle n'était pas respectée. En 1840, le Bas-Canada, donc le Québec, était plus populeux que le Haut-Canada, maintenant l'Ontario. Or, les dirigeants de l'époque disaient : « Puisqu'il s'agit de deux peuples, nous ne tiendrons pas compte de la population respective de ces peuples. La représentation parlementaire du Bas-Canada et celle du Haut-Canada seront égales. » Mais lorsque la population du Haut-Canada est devenue plus nombreuse que celle du Bas-Canada, ils ont changé les règles du jeu pour appliquer le principe du « *rep by pop*[32] ». Le poids de la population d'une région devenait soudainement important.

Maintenant, lorsque nous regardons la situation actuelle de plus près, nous nous rendons compte que dans les

32 Les mots *rep by pop* nous viennent des diminutifs anglais utilisés pour désigner l'expression « représentation selon la population ».

Maritimes, le nombre d'électeurs par député est plus bas qu'au Québec. Certains me diront que c'est normal puisqu'il faut conserver la spécificité des provinces maritimes. Mais alors que faites-vous de la nation québécoise? N'a-t-elle pas une spécificité bien plus évidente? La population du Québec est la seule population entière d'une province qui est reconnue comme nation. Il serait donc normal, pour préserver justement notre spécificité, que notre poids politique demeure aux environs de 25 % aux Communes.

Au lieu de répondre aux demandes des Québécois, à leurs aspirations, ils essaient de contourner le Québec en diminuant son poids politique. Puisqu'ils ne sont pas capables de gagner selon les règles du jeu, ils veulent changer les règles.

Le 20 avril 2010, nous avons déposé une motion visant à maintenir le poids politique de la nation québécoise à la Chambre des communes, comme l'a exigé pour la troisième fois l'Assemblée nationale du Québec le 22 avril 2010. Que s'est-il passé? Les deux grands partis fédéralistes ont rejeté cette motion. Voilà qui résume bien, à mon avis, l'avenir du Québec dans le Canada.

☐ ***Quelles sont les conséquences réelles pour le Québec de la diminution de son poids politique à Ottawa?***

Lorsque notre poids politique diminue, nous nous affaiblissons, nous avons moins d'influence. Plus le Québec s'affaiblit politiquement, plus c'est facile d'obtenir une majorité en se passant de l'appui du Québec. La présence au Parlement fédéral du Bloc rend plus difficile l'obtention d'une majorité pour un parti fédéraliste. Vous avez aussi sans doute remarqué, depuis que le Bloc existe, qu'il n'y a aucun parti fédéraliste qui a obtenu une majorité au

Québec. Pas un ! Et avec les conservateurs, la représentation des partis fédéralistes au Québec est plus faible que jamais.

Alors, au lieu de répondre aux demandes des Québécois, à leurs aspirations, ils essaient de contourner le Québec en diminuant son poids politique. Puisqu'ils ne sont pas capables de gagner selon les règles du jeu, ils veulent changer les règles. Les libéraux ont voulu tricher avec les commandites. Les conservateurs se disent qu'il vaut mieux changer les règles. C'est aussi odieux, mais de cette façon, ils demeurent du bon côté de la loi.

En définitive, à partir du poids politique du Québec, nous pouvons mesurer la différence entre le *statu quo* et la souveraineté. Dans le Canada, notre capacité d'influer sur une décision équivaut à 23 % et elle va en diminuant. Dans un Québec souverain, notre capacité sera égale à 100 %. Le choix est facile à faire !

☐ *Est-ce que le Bloc ne s'intéresse à Ottawa qu'aux dossiers où les intérêts du Québec sont en jeu ?*

Il n'y a pratiquement pas un seul dossier à Ottawa qui ne touche pas les intérêts du Québec. Quand on a aboli le Nid-de-Corbeau[33], une vieille entente qui ne devait concerner

33 La Convention du Nid-de-Corbeau, conclue le 6 septembre 1897, est une entente entre le gouvernement fédéral et le Canadien Pacifique. En échange d'une subvention de 3,3 millions de dollars et du droit d'étendre ses activités en Colombie-Britannique, le CP accepte de diminuer à perpétuité le tarif-marchandises vers l'Est sur le grain et la farine de même que le tarif vers l'Ouest pour une liste spécifique d'« effets pour les colons ». Après les élections fédérales de 1993, le nouveau gouvernement vote rapidement l'élimination des tarifs. En vertu de la *Loi sur les paiements de transition du grain de l'Ouest*, les fermiers se voient offrir un seul paiement global en guise de compensation pour les coûts élevés d'expédition et pour qu'ils adaptent leurs activités en conséquence. C'est ainsi qu'après 97 ans, et après de nombreux changements législatifs et maintes négociations, le tarif-marchandises adopté par le gouvernement fédéral et le CP prend fin.

que l'Ouest, il y a eu des répercussions sur le Québec. En contrepartie de l'abolition de cette entente, il y a eu diversification de l'agriculture de l'Ouest accompagnée de subventions à des agriculteurs qui produisent la même chose que certains de nos agriculteurs au Québec. Ces agriculteurs entrent ainsi en compétition avec nos agriculteurs du Québec. Cela nous touche, vous voyez bien.

Lorsque le gouvernement fédéral taxe Hydro-Québec à 100 % dans le calcul de la péréquation et qu'en même temps il se contente de taxer les pétrolières à 50 %, bien sûr que cela nous touche !

Lorsqu'ils investissent des millions dans *La porte d'entrée du Pacifique* et dans *La porte d'entrée de l'Atlantique* et qu'ils ne versent pas un cent dans la porte d'entrée qu'est le fleuve Saint-Laurent, bien sûr que cela nous touche au Québec !

Et quand le gouvernement fédéral vient en aide au secteur de l'automobile en Ontario et qu'il laisse croupir nos secteurs manufacturier et forestier au Québec, bien sûr que cela nous touche ! Dès lors qu'Ottawa attribue des sommes d'argent, il fait des choix politiques et ces choix se font en fonction de ses intérêts et pas toujours en fonction des nôtres. C'est pourquoi le Bloc s'intéresse à tous les dossiers au Parlement fédéral.

Il ne faut pas oublier que lorsque Ottawa verse 10 milliards au secteur de l'auto, il y a autour de 20 % de cette somme, soit 2 milliards de dollars, qui vient des poches des Québécois.

☐ ***La fin du Bloc Québécois a souvent été annoncée par vos adversaires politiques depuis vingt ans. Cela n'est pas arrivé. Pour vous, ce sera quand la fin du Bloc ?***

Cela revient à me demander quand se fera la souveraineté du Québec.

☐ *Dans votre réponse au discours du Trône de mars 2010, vous avez fait un long plaidoyer en faveur de la souveraineté du Québec en réaffirmant que le Canada, encore une fois, ne pourrait jamais répondre aux aspirations du Québec. Vous avez dit ce que vous me dites dans ces entretiens – et qui en est à mon sens l'idée conductrice – qu'il n'y a pas d'avenir pour le Québec au sein du Canada, que cela ne marchera pas. Vous avez dit cela à la Chambre des communes, dans une enceinte qui représente tout le Canada. C'est quand même inouï! Pensiez-vous, lorsque vous avez été élu en 1990, que vous diriez haut et fort de telles choses en plein Parlement d'Ottawa ?*

J'éprouve une immense fierté et un grand contentement à faire cela. Je me dois de dire à mes amis du Canada que la situation est à ce point sans issue, que le Québec n'a d'autre choix que de devenir souverain. Je me sens confortable de leur dire de regarder les choses en face, dans leur intérêt et dans celui du Québec. Vous savez, quand on se tient debout, quand on aborde franchement les questions difficiles, les adversaires nous respectent. Nous sommes souverainistes. Nous sommes fiers de l'être. Nous devons expliquer pourquoi nous le sommes et l'affirmer partout, tout le temps. Même, et peut-être surtout, au sein même du Parlement canadien.

Quand on se tient debout, quand on aborde franchement les questions difficiles, les adversaires nous respectent. Nous sommes souverainistes. Nous sommes fiers de l'être. Nous devons expliquer pourquoi nous le sommes et l'affirmer partout, tout le temps. Même, et peut-être surtout, au sein même du Parlement canadien.

Photo : Guy F. Raymond

14 août 2010 – Gilles Duceppe célébrait avec près d'un millier d'électrices et électeurs de sa circonscription le 20e anniversaire de son élection comme député de Laurier–Sainte-Marie.

LE « COMMIS VOYAGEUR » DE LA SOUVERAINETÉ OU PROPHÈTE DANS L'AUTRE PAYS

« Nous croyons que la meilleure solution pour le Québec en tant que nation est de former un État souverain. Je ne suis pas contre le Canada. Le Canada est un pays formidable et la nation canadienne est une nation formidable, mais ce n'est ni mon pays ni ma nation. »

– Gilles Duceppe, le 20 février 2010.

☐ *Vous connaissez bien le Canada. Vous avez beaucoup voyagé au Canada et vous continuez de le faire pour expliquer aux Canadiens le projet souverainiste. Est-ce que le Canada tel que nous le concevions, avec ses deux peuples fondateurs et son bilinguisme officiel, existe encore ?*

Non, il n'existe plus. Et cela fait longtemps qu'il n'existe plus selon cette conception.

☐ *Il n'existe plus de cette façon pour les Québécois ou pour les Canadiens ?*

Pour les Canadiens.

☐ *Pas pour tout le monde ?*

Pour les Québécois, il y a encore cette illusion, cette espérance de l'existence du Canada des deux peuples fondateurs et du bilinguisme officiel. Cela s'explique entre autres par une certaine méconnaissance de la situation des francophones hors Québec.

S'ils examinaient de plus près ce qui se passe là-bas, les Québécois constateraient qu'il y a eu une assimilation fulgurante des francophones, une situation très difficile. On n'a pas idée de la lutte de tous les instants qu'ils doivent mener. Moi, j'ai une admiration sans bornes pour les communautés francophones du Canada et pour les Acadiens. Au Bloc Québécois, on se fait un devoir de les appuyer de toutes nos forces.

Ce n'est pas un phénomène réjouissant, mais c'est la réalité. Le recensement de 2006 a clairement démontré que les baisses de la proportion de francophones hors Québec et de l'utilisation du français se poursuivent ; que les transferts linguistiques des francophones vers l'anglais se poursuivent. Lorsque je rencontre ces francophones hors Québec, ils me confirment cette tendance. Ils me le disent. Vous n'avez qu'à regarder les chiffres de 2006.

En Colombie-Britannique, 72 % des francophones parlent l'anglais à la maison. Dans les Prairies, ce taux est rendu à 55,5 % au Manitoba – alors qu'il était de 36,9 % en 1971 –, à 74,4 % en Saskatchewan et à 69 % en Alberta. En Ontario, il est à 41,8 %. Même en Acadie, la situation se détériore. J'ai d'ailleurs rappelé aux Acadiens lors d'une visite que leur taux de transferts linguistiques était rendu à 7 %. Ils m'ont dit : « Non, M. Duceppe, il est maintenant à 9 %. » Ces transferts linguistiques sont le signe avant-coureur d'un changement futur majeur. Il est bien connu que la langue parlée le plus souvent à la maison sera d'ordinaire celle qui sera transmise aux enfants en tant que langue maternelle.

Pour le Canada, le Québec n'est qu'une province et les francophones, une culture parmi une multitude d'autres, comme dans l'expression « multiculturel ».

Le Canada d'aujourd'hui, dans les faits, dans les politiques, dans la Constitution, ne reconnaît qu'un seul peuple, hormis les nations autochtones, c'est le peuple canadien. Pour le Canada, le Québec n'est qu'une province et les francophones, une culture parmi une multitude d'autres, comme dans l'expression « multiculturel ».

☐ ***Il y a donc assimilation des francophones hors Québec ?***

Oui, et nous nous en rendons compte de statistique en statistique. Il y a encore une masse critique de francophones en Acadie et dans l'Est ontarien. Il y en a même une qui se développe en ce moment en Alberta en raison de la situation économique favorable de la province. Beaucoup de Québécois vont travailler là-bas. Ils sont plus nombreux qu'ils ne l'étaient il n'y a pas si longtemps, mais le pourcentage de francophones dans cette province n'en a pas moins diminué. Ailleurs, lorsque je demande aux francophones d'où ils viennent – je l'ai encore fait récemment à Terre-Neuve et en Colombie-Britannique – ils me répondent pour la plupart qu'ils sont originaires du Québec ou de France. La communauté francophone de ces provinces ne se reproduit pas, si je peux utiliser cette expression. En Colombie-Britannique, tout le monde sait que l'on parle davantage en mandarin qu'en français. Je dis d'ailleurs souvent qu'il y a deux langues officielles dans ce pays : l'anglais et la traduction simultanée !

Donc, ce Canada bilingue est une illusion et cela est dû aux nombreuses lois qui ont été adoptées dans le passé et qui ont joué contre le français.

Donc, ce Canada bilingue est une illusion et cela est dû aux nombreuses lois qui ont été adoptées dans le passé et qui ont joué contre le français. Souvenez-vous du Règlement 17 en Ontario, de la cessation de l'enseignement du français au Manitoba. Et même lorsqu'ils veulent rétablir cet enseignement, la population francophone est tellement décimée qu'il n'y a plus grand monde pour en profiter. Les anglophones du Canada ont beaucoup de difficulté à concevoir l'existence de deux grands peuples. Ils ont la certitude de vivre dans un pays où il n'y a qu'une seule nation. Ils sont certes contents d'avoir une *french province*. Certains diront même que cette diversité est ce qui fait la beauté du Canada. Mais cela s'arrête là. Dans la pratique, ils oublient vite qu'il y a des exigences pratiques liées à l'existence de deux peuples fondateurs. Et je rajouterais qu'au sein des partis fédéralistes aux Communes, hormis une poignée de députés, comme Yvon Godin[34], c'est le Bloc Québécois qui défend les communautés francophones du Canada. C'est pour toutes ces raisons que

34 Yvon Godin, député NPD-Acadie–Bathurst, depuis 1997.

je dis que l'idée de l'existence du bilinguisme et des peuples fondateurs est une illusion.

☐ ***De quoi vous parlent les gens lorsque vous voyagez au Canada ? Quelles sont leurs préoccupations ?***

Cela dépend des interlocuteurs. Lorsque je rencontre des francophones, ces derniers me parlent du sort des francophones bien sûr. Lorsque je rencontre des syndiqués, ils abordent l'ensemble des questions de la politique canadienne. Les syndiqués, je le souligne, sont les interlocuteurs les plus ouverts à la réalité du Québec. Lorsque je rencontre un mentor conservateur comme Tom Flanagan ou encore les gens de CD Howe, nous discutons davantage évidemment des questions économiques. Il y a enfin les tribunes téléphoniques. Mais des tribunes téléphoniques, cela demeure des tribunes téléphoniques !

☐ ***Est-ce que le ton est agressif lorsque vous participez à ces tribunes téléphoniques ?***

Lorsque je suis face à face avec un animateur dans une station de radio, le ton n'est pas agressif du tout. À Vancouver, j'ai participé à une tribune téléphonique dont l'animateur était d'une grande gentillesse : « Ah oui ! Cela a du sens ! » répétait-il en ma présence. Dans la voiture, après mon départ, j'ai syntonisé l'émission et l'animateur en question me rentrait dedans à tour de bras. Je dois dire que cela se passe de la même façon au Québec. Le genre de propos qu'ils tiennent se limite à peu près à cette réaction simpliste : « Nous donnons de l'argent au Québec et nous vous aimons. Nous vous faisons vivre alors tenez-vous tranquilles ! » Évidemment, quand je les prends au mot, quand je me sers de leur raisonnement et que je leur dis que si ce qu'ils disent est vrai ils feront des économies lorsque le Québec devenu souverain quittera la fédération, alors là ils sont plutôt coincés.

Avec les intellectuels, les professeurs, les étudiants, le dialogue est extrêmement stimulant. Ils posent les bonnes questions ; ils veulent savoir. « Vous feriez quoi dans ce cas-là, comment cela peut se passer ? Que faites-vous avec les autochtones ? » Cela me force à pousser ma réflexion. Je trouve cette dynamique extrêmement intéressante. Elle vous oblige à vous mettre dans la peau de l'autre, à réagir.

☐ ***Après six grandes tournées canadiennes, entre 1997 et 2010, vous vous êtes certainement fait une petite idée de ce que craignent les Canadiens lorsqu'on leur parle de la souveraineté du Québec. De quoi ont-ils peur ?***

J'ai constaté qu'ils dissimulaient leur peur. Ils tentent de se convaincre que la question de l'indépendance du Québec est réglée, que cela ne se produira pas. Je leur dis alors de faire attention ; je leur rappelle qu'ils ont dit la même chose en 1976 avant que Lévesque ne prenne le pouvoir ou encore en 1995 lors du référendum. Ils ont toujours dit la même chose. Ils ont toujours été à la recherche d'un sauveur. Je les mets en garde ; je leur dis que les choses ne se passeront pas comme cela, que c'est fini ce temps-là. Il faut leur faire comprendre que le mouvement souverainiste est très profond, que cette idée de liberté politique au Québec n'est pas conjoncturelle.

Il faut leur faire comprendre que le mouvement souverainiste est très profond, que cette idée de liberté politique au Québec n'est pas conjoncturelle.

☐ ***Est-il possible que leur attachement au Québec leur permette théoriquement de se différencier des États-Unis ?***

Cela joue aussi. Mais cela joue davantage au niveau de l'inconscient. Je leur dis souvent que le jour où nous ne serons plus là, ils ne pourront plus clamer que le Canada est différent des États-Unis « *because we got a french province* ». Et je pense que ce sera un moment de vérité pour eux, qu'ils se découvriront. En attendant, le rêve de Trudeau est encore très présent au Canada anglais. Dans leur esprit, le Canada de Trudeau est multiculturel. Ce Canada est tellement enrichissant que tout le monde peut s'y retrouver. Je leur dis alors : « *Everyone can find himself in Canada and we got two languages.* Continuons donc en français ! » Tiens donc ! Oui au multiculturalisme, *but only in English*?

☐ ***Il y a aussi cette idée romantique bien ancrée chez les Canadiens d'un beau grand pays d'un océan à l'autre, une idée qui tient davantage de l'émotion que du rationnel, mais c'est une idée qui est tenace.***

Lorsque les Québécois prendront leur décision, les Canadiens devront y faire face. La réalité les rattrapera. Ils devront imaginer leur pays autrement et je le répète, ce sera un moment de vérité pour les Canadiens. Ils se retrouveront face à eux-mêmes et ils devront se définir en eux-mêmes, sans avoir recours à des artifices pour se différencier des Américains. Dans un discours au Canada, j'ai déjà dit que Jean Chrétien sous-estimait la solidité du Canada quand

Lorsque les Québécois prendront leur décision, les Canadiens devront imaginer leur pays autrement. Ils se retrouveront face à eux-mêmes et ils devront se définir en eux-mêmes, sans avoir recours à des artifices pour se différencier des Américains.

il disait que la souveraineté du Québec allait briser leur pays. Le Canada existe sans le Québec ; la preuve, il s'est donné une Constitution sans le Québec !

☐ ***Mais à partir du moment où vous dites qu'ils devront faire face à la souveraineté du Québec, pourquoi aujourd'hui prendre votre bâton de pèlerin, ou votre valise de commis voyageur, pour leur expliquer le projet souverainiste ?***

Mon bâton de pèlerin, c'est surtout au Québec que je le prends, puisque je fais deux tournées annuelles de tout le territoire. Cela en fait du territoire et des régions ! Alors, en vingt ans, six tournées canadiennes ce n'est pas tant que cela même si je considère qu'il est important de m'enquérir de ce qui se passe là-bas. Ces gens-là seront nos voisins et nous aurons à débattre avec eux. Il est primordial de maintenir des liens avec ses voisins. Ne serait-ce que sur le terrain de l'économie, ils n'auront pas le choix de continuer à faire des affaires avec le Québec et nous n'aurons pas le choix que de continuer de faire des affaires avec le Canada. C'est d'ailleurs une question réglée chez eux ; je l'ai bien vu lors des tribunes téléphoniques auxquelles j'ai participé au Canada. Ils savent en Ontario qu'ils exportent pour 40 milliards de dollars au Québec. Ils savent au Nouveau-Brunswick que leurs exportations vers le Québec se chiffrent à 3 milliards et demi. Ils savent à Terre-Neuve qu'ils nous vendent pour plus de 2 milliards de dollars de biens et services. Nous avons tous avantage à continuer à faire du commerce les uns avec les autres. Cette attitude est nouvelle au Canada. Autrefois, ils nous menaçaient de ne plus faire de commerce avec le Québec. Ils ont compris aujourd'hui où se trouve leur intérêt.

Il y a même des intellectuels qui m'ont dit que les États-Unis refuseront à un Québec souverain l'entrée dans l'ALÉNA parce que les États-Unis sont contre l'ALÉNA et qu'ils saisiront cette occasion pour tout chambarder. Je leur ai rétorqué que le Mexique ne donnera pas son accord à un tel chambardement, ni le Canada. Les Canadiens ont tout intérêt à ce que le Québec fasse partie de l'ALÉNA. Ensuite, c'est mal connaître les États-Unis. Le principal partenaire économique de plusieurs États de la Nouvelle-Angleterre, c'est le Québec. Les pays prennent ce genre de décision en fonction de leur intérêt, et l'intérêt du Canada, comme celui des États-Unis, leur commande de maintenir l'ALÉNA, incluant le Québec. D'ailleurs, il est ironique de constater que certains Canadiens brandissent la menace de l'exclusion du Québec d'un traité de libre-échange qui n'aurait jamais vu le jour sans l'appui des souverainistes québécois, de Jacques Parizeau et de Bernard Landry, pour ne nommer que ceux-là.

☐ ***Que faites-vous des anglophones du Québec ? Est-ce que vous les rencontrez aussi ?***

Oui, bien sûr. Je rencontre tous les Québécois.

☐ ***Est-ce qu'on vous parle encore de partition du Québec, par exemple ?***

Certains anglophones voudront peut-être encore débattre de cela au moment de faire l'indépendance. Sauf qu'ils devront se rendre à l'évidence qu'à cet égard le Canada a une position sur la scène internationale, la même que pour tous les pays démocrates. Le Canada – et ce fut le cas pour la Yougoslavie – considère que les frontières d'un nouvel État sont celles qu'il avait au moment de la séparation. Si vous remettez une frontière en question, vous remettez toutes les frontières en question. C'est pour cela que la position internationale du Canada face aux frontières des nouveaux pays souverains est empreinte de sagesse.

En fait, cette question de la partition est un épouvantail qu'on agite à l'occasion pour essayer de faire peur aux Québécois. Il est irresponsable d'utiliser cet argument qui est d'ailleurs parfaitement irréaliste.

☐ ***Il y a chez nous au Québec des fédéralistes qui, eux, continuent de parler avec sincérité de* « nation building ». *Ils continuent de croire que le Canada est réformable ou qu'il est satisfaisant tel qu'il est, qu'il n'appartient qu'à nous de nous y investir et de participer à ce grand tout.***

Je ne partage pas leur point de vue. D'ailleurs, il y a deux écoles de pensée chez ces gens. Il y a ceux qui disent que le fruit n'est pas mûr, que le terrain n'est pas fertile pour intégrer la Constitution canadienne. « On verra cela le temps venu, disent-ils. Il faudra bien régler cela un jour, mais pour l'instant il vaut mieux se pencher sur l'économie » – comme si les lois et les priorités politiques étaient distinctes de l'économie. Certains gouvernements, pour bien diriger l'économie, aiment à dire qu'ils ont les mains sur le volant. Sauf que lorsque les trois quarts du volant sont à Ottawa, vous ne pilotez pas grand-chose. Je ne sais pas si Jean Charest s'en rend compte, mais les milliards pour l'auto en Ontario, l'absence de milliards pour la forêt au Québec, tout comme les politiques environnementales et ces milliards qui sont donnés aux pétrolières, toutes ces politiques font l'objet de décisions prises à Ottawa. Il l'a bien vu à Copenhague[35] alors qu'il parlait dans le vide.

L'autre école clame que tout va bien dans le meilleur des mondes possible, que la Constitution n'est pas une préoccupation quotidienne des gens. Pourtant, dans le budget

35 La conférence de Copenhague s'est tenue dans la capitale du Danemark, du 7 au 18 décembre 2009. Il s'agissait de la 15e « Conférence des parties » (COP 15) de la Convention-cadre des Nations unies sur les changements climatiques.

2010 du Québec – un budget préparé par un gouvernement fédéraliste –, vous découvrez qu'il y a une trentaine de pages[36] – un travail remarquable du ministère des Finances du Québec, d'ailleurs – consacrées aux litiges économiques avec Ottawa. Aucune autre province au Canada n'a autant de griefs avec Ottawa. Nous parlons ici de milliards de dollars ! Cela démontre de toute évidence l'importance de prendre nos affaires en main, de devenir maîtres chez nous. Vous ne pouvez pas à la fois soulever tous ces griefs avec le gouvernement fédéral et dire en même temps que tout va pour le mieux dans le meilleur des mondes. C'est de la science-fiction…

Vous ne pouvez pas à la fois soulever tous ces griefs avec le gouvernement fédéral et dire en même temps que tout va pour le mieux dans le meilleur des mondes. C'est de la science-fiction…

☐ ***Est-ce que le Canada serait plus réformable si Stephen Harper n'était pas là ? Est-ce que c'est la conjoncture qui vous fait tirer la conclusion que le Canada n'est plus réformable ?***

Avec ou sans Harper, c'est la même chose. Avec ou sans Harper, le Canada a la même Constitution et le même irrespect des décisions qui se prennent à Québec.

☐ ***Donc, vous n'envisagez même pas la possibilité qu'il y ait un jour des nouvelles offres constitutionnelles du Canada au Québec ?***

Cela est très clair dans mon esprit.

36 http://www.budget.finances.gouv.qc.ca/Budget/2010-2011/fr/documents/PlanBudgetaire.pdf section E

☐ ***Vous dites en quelque sorte qu'il n'y a plus rien à faire. N'est-ce pas un peu sévère ?***

Mais il n'y a plus rien à faire ! Ils vous le diront tous au Canada anglais. Lors de mes tournées, tout le monde me l'a dit. Ils m'ont dit que nous pouvions peut-être – peut-être, éventuellement – nous entendre sur un certain nombre de choses comme, par exemple, le pouvoir fédéral de dépenser. Certains représentants de la droite dans l'Ouest pensent comme nous qu'Ottawa ne respecte plus les champs de compétence des provinces. Mais même là, en Ontario ou dans les Maritimes, ce n'est pas la même chanson. Ils sont prêts à nous proposer des peccadilles et à nous demander en échange de signer la Constitution.

Si un Mulroney débarquait aujourd'hui et qu'il annonçait aux Canadiens qu'il allait entamer des négociations constitutionnelles avec le Québec, il se ferait botter le derrière par les électeurs canadiens.

La réalité est qu'il n'y a aucune offre sur la table et qu'il n'y en aura pas. Comme je vous l'ai déjà dit, il n'y a pas d'autre solution pour le Québec que de devenir un pays. La preuve en est faite. Bien sûr, nous n'aurions pas le choix démocratiquement de débattre d'une offre. J'ai toujours dit que je serais prêt à en débattre n'importe quand parce que cela renforcerait ma thèse de l'absolue nécessité de faire la souveraineté. Mais franchement, je n'y crois pas, je sais qu'il n'y aura pas d'offres.

☐ ***Pensez-vous qu'il pourrait y avoir un autre Mulroney après Harper ?***

Non. Je pense que pour eux la question est réglée une fois pour toutes. Si un Mulroney débarquait aujourd'hui et qu'il annonçait aux Canadiens qu'il allait entamer des négociations constitutionnelles avec le Québec, il se ferait botter le derrière par les électeurs canadiens. C'est d'autant plus clair que le poids politique du Québec continue de diminuer et que les Québécois sont de moins en moins nombreux.

Mais, je vous l'ai déjà dit, là où ils se trompent, c'est lorsqu'ils pensent que la question est aussi réglée pour nous. En 1995, avant le référendum, le « oui » était à 38 % dans les sondages. Nous avons terminé à 49,4 %. Aujourd'hui, les appuis à la souveraineté se situent entre 40 et 45 % et le Bloc gagne élection après élection. Je pense que ceux qui prédisent l'agonie de l'option souverainiste s'en font accroire.

☐ ***Vous affirmez souvent que le Canada continue à se construire en fonction de ses intérêts et de ses valeurs propres qui, trop souvent, vont à l'encontre de ceux du Québec. Quelles sont ces valeurs qui vont à l'encontre de celles du Québec ?***

D'abord, je dois dire que dans tous les pays occidentaux, il y a des valeurs communes comme la démocratie et l'État de droit et le Québec et le Canada en font partie. Je pense donc que nous avons davantage de valeurs en commun que de différences, comme avec la France, l'Angleterre ou les États-Unis, qui sont des pays souverains et qui n'envisagent pas un seul instant de ne plus l'être.

☐ ***Mais vous dites toujours que les valeurs du Canada ne correspondent pas aux valeurs du Québec !***

Oui, dans bien des cas cela est très clair. Attention ! Je ne dis pas que nous sommes meilleurs et, encore moins, que nous sommes pires que les autres. Je déteste cette attitude de certains qui clament que leur pays est le « plus meilleur » du monde. Nous sommes différents. C'est tout et c'est normal.

Par exemple, au Québec nous avons une conception différente du rôle de l'État qui est plus présent. Peut-être parce que nous ne formons que 2 % de la population en Amérique du Nord.

En matière de justice, notre façon de faire donne des résultats remarquables qui font du Québec l'endroit où il y a le moins de violence en Amérique du Nord. Pas étonnant qu'il y ait unanimité à l'Assemblée nationale en faveur du contrôle des armes à feu ou contre le durcissement excessif – à nos yeux – de la *Loi sur les jeunes contrevenants.* Cela part d'une vision du monde différente, d'une situation particulière, qui se traduit par un système de valeurs différent.

Cela part d'une vision du monde différente, d'une situation particulière, qui se traduit par un système de valeurs différent.

De même, nous sommes l'endroit, toujours en Amérique du Nord, où la richesse est la mieux partagée. C'est un choix de société qui traduit des valeurs et, là encore, une situation particulière. Nous donnons à la culture une place qui n'est pas confinée au simple divertissement; la culture au Québec est l'expression de ce que nous sommes et une nécessité existentielle. La langue est un autre exemple. Pour nous, le maintien du français comme langue publique commune est vital.

En politique étrangère aussi, les sensibilités sont très différentes. En 2003, il y avait 200 000 personnes dans les rues de Montréal pour s'opposer à la guerre en Irak. À Toronto, il y avait à peine quelques milliers de personnes. Et lorsque nous examinons toutes les décisions de l'Assemblée nationale qui font consensus et qui sont rejetées par Ottawa, nous ne pouvons faire autrement que de constater qu'il y a des différences de valeurs entre les deux nations.

☐ *Vous dites d'un côté que nous ne sommes pas meilleurs ou pires, mais en même temps vous dites que nous réussissons mieux en matière de partage de la richesse ou de criminalité. N'y a-t-il pas là une contradiction ?*

Non. Pour ce qui est du partage de la richesse, d'autres sociétés peuvent faire des choix différents qui sont tout aussi valables. Aux États-Unis, ils mettent davantage l'accent sur la liberté économique et moins sur le partage de la richesse. C'est leur choix. Le Canada se situe entre les deux, entre le Québec et les États-Unis.

Pour ce qui est de la criminalité, les États-Unis ont un modèle et le Canada s'en inspire de plus en plus : plus d'armes en circulation et plus de gens en prison. Moi, je trouve cela aberrant. Mais si une majorité d'Américains préfère avoir le droit de porter des armes, quitte à sacrifier une part de sécurité ou à mettre plus de gens en prison, c'est encore leur choix. Là où j'ai un problème, c'est lorsque le Québec se fait imposer des choix de société par le Canada, comme pour les armes à feu et pour son système de justice fondé sur le populisme.

Là où j'ai un problème, c'est lorsque le Québec se fait imposer des choix de société par le Canada, comme pour les armes à feu et pour son système de justice fondé sur le populisme.

☐ *Cette philosophie de* Law and Order, *n'est-ce pas simplement le fait des conservateurs et non pas du Canada tout entier ?*

Pas du tout. Le durcissement de la *Loi sur les jeunes contrevenants* est un durcissement qui traverse tous les partis, y compris le NPD que l'on s'attendrait à voir du côté du Québec. Mais les Canadiens ont une sensibilité différente ; ils sont très exposés à la télé américaine, par exemple. Et surtout, ils vivent une réalité différente. Dans les Prairies, les jeunes délinquants qui sont surtout visés, ce sont les jeunes autochtones qui sont nombreux et qui vivent des problèmes sociaux épouvantables. À Winnipeg, par exemple, c'est un réel problème. Le Québec a un modèle qui donne des résultats remarquables. C'est un modèle qui est appuyé par les juges, par les policiers, par les avocats et qui fait l'unanimité à l'Assemblée nationale. Mais on nous impose le modèle canadien, un modèle qui correspond à une réalité qui n'est pas la nôtre. Nous avons proposé, nous, de soustraire le Québec de ce durcissement. La réponse, comme pour le reste, a été non.

C'est la même chose pour la langue et la culture. La situation du Québec est tout à fait particulière en Amérique du Nord. Pourquoi vouloir nous imposer les choix canadiens sur ces questions névralgiques pour le Québec ? C'est absurde et, pourtant, c'est ce que nous vivons au Canada.

☐ ***Au Québec aussi, il y a des gens qui sont d'accord pour abolir le registre des armes à feu ou durcir la* Loi sur les jeunes contrevenants*, non ?***

Oui, évidemment. Quand on parle des valeurs d'une société, ce n'est pas pour dire que tout un chacun les partage. Il n'y a jamais unanimité sur aucun sujet ou presque. Mais il y a des valeurs dominantes. C'est bien différent.

☐ ***Le multiculturalisme est également une valeur à laquelle nous n'adhérons pas au Québec.***

En effet, et cela est fondamental. Lorsque nous parlons de valeurs au Québec, nous incluons une question comme celle-là. Nous avons aussi des conceptions différentes quant à la place de la langue dans la vie quotidienne, quant à l'avortement ou sur l'orientation sexuelle des citoyens. Nous l'avons bien vu lors du débat sur les mariages gais. Il y a de grandes différences de valeurs, ou à tout le moins une sensibilité différente sur bien des questions entre le Québec et le Canada.

☐ ***Cet écart dans les valeurs entre les deux nations n'est-il pas accentué par la présence du gouvernement Harper ?***

Accentué, oui. Le gouvernement Harper accentue cet écart en raison de son orientation politique très semblable à celle des républicains aux États-Unis, plus spécifiquement à l'aile droite républicaine, sur le plan des valeurs et du discours populiste. Il peut donc affirmer certaines choses qui font consensus au Canada, mais il ne peut quand même pas exprimer totalement le fond de sa pensée en raison de sa situation de gouvernement minoritaire. Il est donc plus à droite qu'il ne le laisse paraître. De plus, sa représentation au Québec est dans l'ensemble d'une faiblesse inouïe. Les conservateurs du Canada le savent et, je vous l'assure, ils le déplorent en privé.

Cela étant dit, si vous excluez le Québec des résultats des dernières élections, les conservateurs ont une majorité et, donc, le Canada était prêt à offrir un gouvernement majoritaire à Stephen Harper. On ne doit pas l'oublier[37]. Les conservateurs ne sont pas un corps étranger du Canada ; ils en sont une émanation contemporaine.

Le Canada était prêt à offrir un gouvernement majoritaire à Stephen Harper. On ne doit pas l'oublier. Les conservateurs ne sont pas un corps étranger du Canada ; ils en sont une émanation contemporaine.

---

37 Sans le Québec, la Chambre des communes compte 233 sièges, la majorité se situant alors à 117 sièges. Les Canadiens (sans le Québec) ont accordé 133 sièges au Parti conservateur, 63 au Parti libéral et 36 au NPD, ce qui confère une confortable majorité au parti de Stephen Harper.

☐ *Qu'en est-il selon vous du pacte économique entre le Québec et ses voisins ? Ne fonctionne-t-il pas ?*

Certes il fonctionne, mais en fonction des intérêts de la majorité. Ainsi, si l'on regarde les avantages fiscaux consentis par Ottawa aux pétrolières – soit 2,6 milliards en 2010 –, nous pouvons affirmer qu'il s'agit là d'argent productif. Si l'on regarde tous les centres de recherche construits du côté d'Ottawa, comparé à un gros zéro du côté de Gatineau, nous constatons que ces investissements profitent seulement à l'Ontario. Lorsque nous tenons compte du nombre de fonctionnaires fédéraux et de la quantité de personnel dans l'armée, lorsque nous tenons compte de tout cela, notre compréhension des choses change. Nous nous rendons compte qu'une bonne partie de cet argent, qui appartient aux Québécois, ne serait pas dépensée ailleurs qu'au Québec si nous étions souverains. Le Québec souverain est évidemment viable. Même Jean Charest l'a dit tellement cela est évident.

☐ *J'aimerais poursuivre sur le pacte économique canadien. Ne faut-il pas s'alarmer du fait que l'Ontario, traditionnellement une province riche, reçoive de la péréquation ?*

C'est plutôt anormal. À part l'Alberta, la Saskatchewan, Terre-Neuve et la Colombie-Britannique, six provinces reçoivent de la péréquation. Puisque l'Ontario représente 37 % de la population et le Québec 23 %, cela signifie que cette population, qui représente 60 % de la population du Canada, soit près des deux tiers, est bénéficiaire de péréquation. Est-ce que cette situation va perdurer ou bien est-ce que l'Ontario va retrouver ses marques ? Il est trop tôt encore pour le savoir. Mais pour reprendre l'analogie de tout à l'heure, c'est comme si 60 % de la population recevait de l'aide sociale. Nous dirions alors à juste titre que le système ne fonctionne pas.

Mais le modèle actuel s'appuie sur le pétrole. C'est ce qu'on a appelé en 1970 « la maladie hollandaise », « *the Dutch disease* »[38]. L'Angleterre a vécu la même chose en 1982 ; le pétrole de la mer du Nord, comme ce fut le cas pour le gaz naturel aux Pays-Bas, a fait monter leur monnaie de façon importante. Cela a entraîné une diminution importante de leurs exportations. Les problèmes sociaux et le chômage ont suivi. Mais il s'agissait, avec l'Angleterre et les Pays-Bas, de deux territoires assez uniformes.

Tant que cette économie s'appuiera sur le gaz naturel et le pétrole plutôt que de miser sur la productivité, le secteur manufacturier et l'environnement, nous aurons des problèmes comme ceux qui affectent l'Ontario. C'est un choix qui n'est pas viable pour une grande partie de la population.

Au Canada, les économies sont beaucoup plus différentes les unes des autres. Nous sommes donc atteints de la maladie hollandaise, mais nous sommes un patient bien différent des deux autres. La valeur du dollar a monté en raison du pétrole et a attaqué de façon très importante nos exportations. S'il y a eu surchauffe aux Pays-Bas et en Angleterre, il n'y a pas eu surchauffe ici et malgré tout la monnaie a grimpé de façon vertigineuse et brutalement. Ainsi, tant que cette économie s'appuiera sur le gaz naturel et le pétrole plutôt que de miser sur la productivité, le secteur manufacturier et l'environnement, nous aurons des problèmes comme ceux qui affectent l'Ontario. C'est un choix qui n'est pas viable pour une grande partie de la population. En Ontario, ils doivent commencer à s'en rendre

38 La maladie hollandaise (ou mal hollandais ou syndrome hollandais) tire son nom du déclin, dans les années 1970, de l'économie des Pays-Bas engendré par l'exploitation des hydrocarbures de la mer du Nord.

compte. Comment réagiront-ils dans les années à venir? J'ai comme l'impression qu'Ottawa tentera des les acheter avec le nucléaire.

Il faut aussi rappeler que l'Ontario compte 106 sièges sur 308 aux Communes. Aucun parti ne peut prétendre gouverner le Canada sans l'Ontario et cela paraît. L'Ontario a reçu 10 milliards de dollars pour l'auto, 4 milliards pour l'harmonisation des taxes et bien d'autres milliards d'Ottawa ici et là. Imaginez si Ottawa injectait demain matin 10 milliards dans les secteurs de l'aéronautique, de la biotechnologie, le multimédia et la culture. Je peux vous garantir que dans cinq ou dix ans, le Québec serait trop riche pour recevoir de la péréquation ! Et si nous disposions de tous nos leviers pour construire une économie sans pétrole, le Québec pourrait devenir l'un des endroits les plus prospères en Amérique du Nord.

☐ ***Est-ce légitime de se demander si le Québec sera plus riche ou plus pauvre après la souveraineté ?***

Je pense que c'est légitime. Est-ce une question déterminante ? Est-ce la question des questions ? Je ne le pense pas. Parce que si cette question était déterminante, les Espagnols, par exemple, pourraient décider de devenir tous Français pour la simple raison que la France est plus riche. Il n'y a pas un peuple sur la terre qui dirait cela.

Avec la souveraineté, le Québec sera bien plus prospère ; nous avons la capacité de devenir l'un des endroits les plus riches en Amérique du Nord.

Mais la question économique compte. En 1966, Bourgault disait : « Nous sommes capables. » En 1995, les souverainistes disaient : « Tout est possible. » Si nous étions en campagne référendaire aujourd'hui, moi je dirais : « Le temps est venu. » Avec la souveraineté, le Québec sera bien plus prospère; nous avons la capacité de devenir l'un des endroits les plus riches en Amérique du Nord.

La question économique compte parce que nos adversaires ont toujours misé sur la peur économique pour effrayer les Québécois, du coup de la Brink's[39] au million d'emplois qui allaient être perdus selon Paul Martin[40]. Il y avait cette politique de la peur et la promesse de changer le fédéralisme. Mais, aujourd'hui, ils ne peuvent plus promettre de changer le fédéralisme. La porte est fermée à double tour. Comme je l'ai déjà dit, ils ont mis des cadenas partout et ils ont jeté les clés. Et ils ont perdu l'argument économique parce que non seulement le fédéralisme n'est pas rentable pour le Québec, mais il est même en train de devenir ruineux. Il n'y a qu'à mettre bout à bout toutes les critiques du gouvernement Charest – un gouvernement pourtant fédéraliste – à l'égard du gouvernement fédéral pour s'en convaincre.

☐ ***En plus d'être aux premières loges à Ottawa et d'avoir une compréhension pointue de la « chose canadienne », et malgré votre engagement pour la souveraineté, vous êtes relativement populaire au Canada. À quoi attribuez-vous cela ?***

Plusieurs personnes m'ont dit que j'étais sorti victorieux de plusieurs débats en anglais lors des campagnes électorales.

---

39 Le 27 avril 1970, deux jours avant l'élection au Québec où les sondages placent le PQ tout juste derrière le Parti libéral de Robert Bourassa, 9 camions blindés de la Brink's remplis de valeurs mobilières et gardés par des policiers armés ont quitté tôt le matin le siège social de la Trust Royal pour Toronto. Des caméras se trouvaient le long de la route. Tous les médias du Québec et d'ailleurs reprennent la nouvelle. C'est le coup de la Brink's, dont le but était de faire peur aux électeurs pour ne pas qu'ils votent pour le Parti Québécois.

40 Lors de la campagne référendaire au Québec en 1995, Paul Martin, alors ministre libéral fédéral des Finances, avait déclaré qu'un million d'emplois seraient perdus à la suite d'un référendum gagnant.

Il y a sans doute un peu d'exagération, mais cela contribue certainement au respect envers le Bloc. Ils me connaissent bien maintenant. De plus, notre façon de dire les choses, au Bloc, est assez bien perçue là-bas. Bien sûr, je ne nierai pas qu'il y en a qui nous détestent. Nous ne laissons personne indifférent. Mais je pense que la perception relativement bonne du Canada à notre égard tient à la façon de présenter notre projet. Nous prenons le temps de les rencontrer, d'y aller avec logique, d'être respectueux, de faire un peu d'humour. Nous avons une approche qui permet d'établir un contact direct.

☐ ***J'ai constaté que certains appréciaient même votre vision de centre-gauche. Il y en a même qui ont déclaré publiquement qu'ils voteraient pour vous s'ils le pouvaient. C'est quand même étonnant !***

C'est ce qu'avait dit Margaret Atwood lors d'une de mes conférences en 2008 devant l'*Economic Club* à Toronto. « Je suis ici, avait-elle dit, parce que M. Duceppe comprend la contribution de la culture à notre économie. » Et à la question de savoir si elle voterait pour le Bloc si elle vivait au Québec, elle avait répondu : « Oui, absolument. Y a-t-il un autre choix possible ? » Mais voteraient-ils pour nous lors d'élections générales et aussi lors d'un référendum sur la souveraineté ? Je n'en suis pas certain.

☐ ***Est-ce qu'il y a des anecdotes, des événements, des faits cocasses dans vos tournées pancanadiennes qui vous ont marqué ?***

Je me souviens d'une conférence que j'avais faite devant la Chambre de commerce de Calgary. Bonnie DuPont, la vice-présidente d'Enbridge, est venue me remercier à la fin de mon allocution. Elle m'avait remis un cadeau, puis elle avait brièvement pris la parole. « Je tiens à vous dire une chose, avait-elle déclaré : indépendamment de ce qui se produira au Québec à l'avenir, nous allons continuer à faire des affaires avec le Québec. » Même le mentor de Stephen Harper, Tom Flanagan, a dit la même chose. C'est le genre de message que nous aimons aller chercher.

Nous nous butons aussi parfois à des réalités plus tristes. J'étais avec Yolande au printemps 1999 à Saint-Boniface au Manitoba. Nous avions rencontré le matin des gens de plus de 40 ans qui parlaient un excellent français. Plus tard, nous avons assisté à une séance du Parlement jeunesse à l'Assemblée législative qui portait sur l'économie. Ce fut un choc. Imaginez ! On me disait des choses de ce genre : « Gilles, t'es pas mal *more to the left*, plus pour les *human rights.* » Nous sentions la brisure entre les générations en ce qui a trait à la langue. C'est cela l'assimilation. Mais en même temps, je sentais un désir très fort de parler français chez les jeunes, un regain d'intérêt de leur part. Nous devons les aider et les encourager. Ils sont admirables.

Je me souviens aussi d'une rencontre à Windsor avec les Travailleurs canadiens de l'automobile. Ils sont 250. Nous avons une bonne discussion. Nous ne sommes pas d'accord sur la souveraineté, mais ils me disent qu'ils respecteront notre choix. Tout de suite après, je me rends au journal *The Windsor Star* pour une rencontre éditoriale. Les syndiqués venaient de me dire de ne pas y aller, que c'étaient des fous. D'emblée, les membres de l'éditorial me disent que lorsque Bouchard réussira à faire la souveraineté, il établira une dictature et il n'y aura plus d'élections au Québec. Je rigole un peu et je leur demande si nous pouvons passer aux choses sérieuses. Ils reposent leur question une seconde fois. Je leur demande s'ils plaisantent. « Non, non, disent-ils, c'est ce que nous croyons. » Je me suis levé, je leur ai dit que je n'avais pas de temps à perdre avec eux et je suis parti. C'est la seule fois que j'ai fait cela dans ma vie.

Une autre fois, à Toronto, j'arrive à l'Institut CD Howe. Il est 8 h 40 le matin. Une jeune fille d'environ 18 ans attend à la porte. Elle ne parle pas vraiment français, mais elle le lit. Elle a mon livre *Question d'identité* entre les mains. Je lui demande pour quelle raison elle est ici. Elle me répond : « J'ai regardé votre horaire. J'aime cela suivre ce que vous faites et je me suis procuré votre livre. » Je ne sais pas où elle l'avait trouvé à Toronto. Elle m'a demandé de le lui dédicacer.

Il arrive aussi que l'on m'attende avec une brique et un fanal, comme ce fut le cas une fois à l'Université de Saskatchewan. Les étudiants s'étaient préparés et ils voulaient me coincer sur la question des autochtones. Il y avait au moins quinze étudiants derrière chaque micro. Je crois que c'était en 1998. Le premier d'entre eux m'apostrophe en me reprochant le sort que nous réservions aux autochtones au Québec. Je lui ai dit que les autochtones représentaient seulement 1 % de la population du Québec, mais qu'ils représentaient cependant 2 % de la population carcérale. « Ah ! Ah ! » ont-ils fait en chœur. J'ai alors enchaîné en leur soulignant qu'ici en Alberta les autochtones représentaient 6 % de la population et… 38 % de la population carcérale. Les deux micros se sont vidés.

☐ ***Avez-vous remarqué une différence d'attitude ou de perception entre vos premières visites au Canada anglais et votre tournée de 2010 ?***

Oui, maintenant ils nous prennent davantage au sérieux. Mais ils continuent toujours à ne pas croire que nous voulons et pouvons faire la souveraineté. Cela a l'air paradoxal, mais c'est ainsi. Ils voient bien que nous sommes capables de tenir notre bout dans les débats. Ils ont vu nos députés travailler en comité et ils se sont rendus à l'évidence qu'ils étaient solides. Ils nous disent que nous sommes un bon parti d'opposition. Mais ils oublient que l'Histoire peut avoir de ces accélérations fulgurantes, comme je vous l'ai dit au début de ces entretiens. Ils oublient la révolution des œillets au Portugal, la chute du mur de Berlin ou la révolution de velours en Tchécoslovaquie. Des situations politiques qui apparaissaient immuables se sont transformées du jour au lendemain au cours de l'Histoire. Ce qui se passe actuellement au Québec peut provoquer ce genre d'accélération de l'Histoire.

Des situations politiques qui apparaissaient immuables se sont transformées du jour au lendemain au cours de l'Histoire. Ce qui se passe actuellement au Québec peut provoquer ce genre d'accélération de l'Histoire.

☐ ***Est-ce que vous croyez qu'un jour ils comprendront les aspirations du Québec ?***

Je crois que fondamentalement ils ne comprendront pas tant que nous n'aurons pas décidé de nous donner un pays.

☐ ***Malgré cela, vous persistez à faire des tournées, à tenter de dédramatiser le rapport avec le Canada anglais. Est-ce exact ?***

Oui. Je leur dis qu'il faut regarder les choses de façon réaliste. Concrètement, je leur explique ce qui arriverait une fois le Québec indépendant, qu'il n'y aurait pas lieu d'ériger des frontières. Ont-ils besoin de frontières en Europe? Ils me disent que le Québec serait un pays souverain en plein milieu du Canada. Ils voient cela comme quelque chose d'impossible. Alors, je leur demande s'ils connaissent d'autres exemples de pays qui sont divisés par un pays souverain. Ils pensent tout de suite à l'Inde, au Pakistan et au Bangladesh. Je leur demande comment ils appellent le pays entre les États-Unis et l'Alaska. Ce pays ne s'appelle-t-il pas le Canada? Et est-ce qu'il y a un Américain qui éprouve des difficultés à quitter son État pour se rendre en Alaska? Je leur démontre peu à peu que ce qu'ils voient comme impossible existe, que c'est possible. Je leur dis que s'ils tiennent absolument à une frontière entre le Québec et le Canada, nous pourrons en discuter, mais je ne vois pas pourquoi nous devrions ériger des frontières entre nos deux pays. Nous sommes très ouverts sur ces questions et nous tentons de les rassurer. Il faut dédramatiser.

☐ ***Croyez-vous également, comme l'affirmait Pierre Vadeboncoeur, que « l'intensification des rapports culturels avec les États-Unis » puisse représenter une menace pour la survie de notre peuple ?***

Un peu comme pour tous les peuples et c'est pour cela que diverses mesures ont été prises, par exemple pour qu'un film en anglais ne puisse jamais être à l'affiche au Québec sans qu'il y ait en même temps une version en français. Avant la Révolution tranquille, nous avions des films sans version française, des chansons américaines traduites. Par la suite, les artistes québécois se sont découverts. Ils se sont mis à écrire de la chanson et des pièces de théâtre. La culture au Québec a servi en quelque sorte de déclencheur qui nous a éveillés à ce que nous sommes vraiment.

☐ ***Nous réfléchissons beaucoup sur nos rapports avec le Canada anglais, mais nous ne parlons pas souvent de nos rapports avec les États-Unis.***

Nous, notre problème principal, ce ne sont pas les États-Unis, c'est notre appartenance au Canada. Les États-Unis ne nous imposent pas une Constitution, des lois ou des choix économiques qui vont à l'encontre de nos intérêts sur notre propre territoire.

Nous craignons moins les États-Unis ici au Québec qu'ailleurs au Canada. Paul Celucci[41] a écrit dans son livre que le parti qui n'a pas tenu de propos antiaméricains au Canada était le Bloc Québécois. Cela ne veut pas dire que je ne dénonce pas certaines politiques américaines. Mais je ne suis pas antiaméricain. Au Québec, nous n'avons pas cette peur d'être assimilés aux Américains, grâce en partie à la langue. Au Canada, il y a une certaine inquiétude à cet égard. Les Canadiens regardent la télé américaine. Ils regardent même les nouvelles américaines, ils écoutent les chansons américaines.

☐ ***Il est vrai qu'au Québec nous sommes ancrés dans notre culture. Les gens aiment leurs créateurs.***

On l'a bien vu lors des élections de 2008 quand les conservateurs se sont attaqués aux artistes. Au Québec, notre rapport à notre culture est beaucoup plus profond que chez les Canadiens. Quand des délégations étrangères nous visitent à Ottawa et qu'elles demandent à mes collègues anglophones ce qui les différencie des Américains, ils répondent : « Eh bien ! Nous avons une province française. » Comme le dit Yolande, ils se définissent en passant par un tiers. Or, quand je discute avec eux, je leur dis que le jour où nous ne serons plus là, ils devront se définir par eux-mêmes. Ils devront vivre leur propre révolution tranquille.

41 Argeo Paul Cellucci, né le 24 avril 1948, est un diplomate américain membre du Parti républicain. Il a été gouverneur du Massachusetts de 1997 à 2001 et ambassadeur américain au Canada de 2001 à 2005.

☐ *Vous leur dites vraiment cela ?*

Bien sûr ! Je leur dis en tout respect qu'ils devront découvrir que cela vaut la peine d'être Canadiens et qu'ils le découvriront. Je leur dis que non seulement leurs villes sont moins violentes que les villes américaines, mais qu'ils n'essaient pas de dominer le monde comme les Américains. Je leur dis qu'ils vont aussi finir par redécouvrir qu'ils ont des écrivains, de bons écrivains. Je pense à ce roman de Hugh MacLennan[42], *The Watch That Ends the Night*, un roman bien meilleur d'après moi que *Two Solitudes*. C'est en quelque sorte la vie de Bethune et ses amis en 1930. Mon père voulait faire un film avec ce bouquin, ce qui n'a jamais été fait. Et c'est sans parler de Margaret Atwood, de Nancy Huston, de Farley Mowat, de Robertson Davies et de tant d'autres. Bien sûr, ils les connaissent, mais ils vont apprendre à les célébrer davantage.

Ils devront se poser les mêmes questions que nous nous sommes posées au cours des années 1960. Je leur dis qu'ils devront exister sans nous, par eux-mêmes. Ce sera pour eux un immense et un beau défi.

Je leur dis aussi qu'ils devront se demander si leur télévision vaut la peine d'exister, s'ils peuvent écouter leurs chanteurs sans que ceux-ci aient à faire leurs preuves aux États-Unis. Ils devront se poser les mêmes questions que nous nous sommes posées au cours des années 1960. Je leur dis qu'ils devront exister sans nous, par eux-mêmes. Ce sera pour eux un immense et un beau défi.

---

42 Hugh MacLennan est né en 1907 en Nouvelle-Écosse. Il étudie en Angleterre et aux États-Unis. À partir de 1935, il enseigne à Montréal et habite le Québec. Il meurt en 1990. Il publie notamment en 1945 *Two Solitudes* et en 1959 *The Watch That Ends the Night*.

☐ ***Vous avez souvent affirmé qu'un Québec souverain serait avantageux pour le Canada. De quelle façon ?***

Québec et Ottawa gaspillent beaucoup de temps et d'énergie à se chamailler sur je ne sais combien de sujets. Nous éviterions cela. Lorsque j'ai expliqué cela à l'extérieur du Québec, j'ai donné pour exemple ce que Bill Clinton avait dit dans son discours au Mont-Tremblant en 1999. Clinton avait livré son discours de façon extraordinaire. Il disait grosso modo qu'aux États-Unis ils ont trouvé la bonne façon de faire fonctionner l'État. Ils ont de grandes politiques nationales, élaborées à Washington, et qui sont ensuite appliquées par les États consentants. Le gouvernement fédéral verse alors à l'État l'argent nécessaire au bon fonctionnement du programme.

Si le Canada acceptait cette formule, le Québec ne serait plus à ses yeux un empêcheur de tourner en rond en ce qui a trait à l'organisation interne de leur État ou à mille et une autres politiques.

Prenons, par exemple, l'éducation. Ils ont leur *Department of Education* qui élabore les grandes politiques nationales en ce domaine. Les États qui respectent ces politiques reçoivent l'argent nécessaire à leur mise en application. C'est un peu l'union sociale poussée plus loin. Clinton prétend que le Canada pourrait faire la même chose s'il n'y avait pas le Québec. Autrement dit, si ce n'était pas du Québec, il y aurait à Ottawa un ministère de l'Éducation. J'en suis convaincu. Ce que propose Clinton, ce n'est pas de la décentralisation, c'est de la déconcentration. Washington déconcentre l'application de ses politiques nationales vers les États américains.

Je suis certain que le Canada adopterait cette façon de faire s'il n'y avait pas le Québec. D'ailleurs, non seulement Ottawa aurait un ministère de l'Éducation – ce qui serait inacceptable pour le Québec –, mais il se donnerait un Sénat triple E[43]. Or tout le monde sait que tant que le Québec sera là, il n'y aura pas de Sénat triple E.

En d'autres mots, lorsque des pays souverains s'unissent dans de grands ensembles, ils peuvent faire ce qu'ils veulent chez eux tout en signant des accords et des traités qui leur permettent de faire certaines choses en commun. Si le Canada acceptait cette formule, le Québec ne serait plus à ses yeux un empêcheur de tourner en rond en ce qui a trait à l'organisation interne de leur État ou à mille et une autres politiques.

☐ ***Donc, le Québec actuellement empêche le Canada de s'épanouir?***

Je pense que nous nous nuisons mutuellement. Le Canada ferait certainement plus les choses qu'il souhaite faire si nous n'étions pas là. Sans le Québec, vous savez, le Canada se serait donné un gouvernement majoritaire conservateur. Nous les empêchons de faire cela. Nous pouvons bien nous dire : « Tant mieux pour eux. Nous les aidons malgré eux. » Mais pourtant, c'est exactement ce que nous leur reprochons de notre côté. Nous nous nuisons les uns les autres. Cela étant dit, ils finissent quand même par aller de l'avant parce qu'ils forment la majorité. La preuve, c'est la Constitution. Mais c'est plus long, plus difficile et plus pénible parfois. De notre côté, c'est long, c'est difficile et pénible tout le temps. Pourquoi? Parce que nous sommes en minorité.

---

43 Le Sénat triple E (pour égal, élu et efficace) est une proposition de réforme du Sénat actuel. Il propose que les sénateurs soient élus afin d'exercer un réel pouvoir selon une représentation égalitaire pour chacune des provinces.

☐ ***C'est comme si vous étiez en train de souhaiter qu'ils nous mettent à la porte.***

Non ! C'est une solution qui est parfois évoquée dans l'Ouest, mais je ne crois pas que cela pourrait se produire ainsi. Comme je vous le dis, ils finissent toujours par avoir gain de cause ; ils sont majoritaires.

Remarquez que c'est un peu ce qui s'est produit entre la République tchèque et la Slovaquie. Ce sont les dirigeants tchèques qui ont dit : « Nous en avons assez ! Faisons deux pays ! » C'est ce que je prône, aussi bien au Québec que lorsque je suis au Canada ; deux pays qui se parlent d'égal à égal, en tout respect.

Gilles Duceppe à la Chambre des communes, entouré de plusieurs députés du Bloc Québécois.

IV

LA NATION QUÉBÉCOISE EN QUESTION

« Au Bloc Québécois, nous nous battons tous les jours pour empêcher les reculs et pour faire avancer le Québec. Nous faisons tout ce qui est possible pour retarder et atténuer cette érosion des pouvoirs du Québec dans le Canada. »

– Gilles Duceppe, le 20 novembre 2009, devant les IPSO.

□ ***Comment le Bloc Québécois fait-il jour après jour à la Chambre des communes pour atténuer cette érosion dont vous parlez des pouvoirs du Québec dans le Canada ?***

Ce n'est pas chose aisée parce que cette érosion des pouvoirs du Québec au sein du Canada est hélas très réelle et inexorable. Si nous remontons à 1867, les champs de compétence du Québec étaient clairement définis. Mais en vertu de pressions de toutes sortes au fil des années, le gouvernement fédéral est intervenu dans presque tous ces champs de compétence en invoquant surtout le supposé pouvoir fédéral de dépenser. Historiquement, cela n'a pas été facile pour le Québec.

Notre façon de faire, au Bloc, consiste à défendre les consensus au Québec et il y en a beaucoup plus que l'on pense. C'est un mot d'ordre permanent. Cela nous permet d'échapper aux jeux partisans. Quand nous arrivons à définir une position qui rallie les 125 députés de l'Assemblée nationale, cela signifie qu'avec les 40 à 50 députés du Bloc nous formons une majorité de 165 ou 175 élus sur les 200 à Québec et Ottawa. Cela confère une force de frappe politique irrésistible au Québec.

Notre façon de faire, au Bloc, consiste à défendre les consensus au Québec et il y en a beaucoup plus que l'on pense. C'est un mot d'ordre permanent. Cela nous permet d'échapper aux jeux partisans.

Rappelez-vous la bataille autour du rapatriement de la main-d'œuvre. Jean Chrétien prétendait que cette demande était un caprice du premier ministre du Québec, Daniel Johnson, fils. Il a quand même cédé par la suite. Pourquoi ? Parce que les souverainistes, le gouvernement du Parti Québécois et le Bloc, nous avons fait pression en permanence pour que ce dossier aboutisse. Si le Bloc Québécois n'avait pas été là, il n'y a personne d'autre qui aurait insisté sur cette demande du Québec à Ottawa et il n'y aurait pas eu de prix politique à payer au gouvernement fédéral pour un refus canadien.

Pour les congés parentaux, ce fut la même épopée. Nous avons porté une demande de l'Assemblée nationale, bien concrète. Nous avons obtenu ce que nous voulions finalement en ne lâchant jamais prise et au bout d'une bataille qui a bien duré dix ans. Donc, nous pouvons faire des gains pour faciliter la vie des Québécois en choisissant soigneusement nos batailles. Mais ces batailles, dans un Québec souverain, nous n'aurions pas à les faire.

Et sur certains dossiers, nous livrons bataille d'abord et avant tout par conviction, comme le fait tout autre parti politique à Ottawa. Je pense ici à la lutte au crime organisé ou encore au dossier de l'assurance-emploi. Si, par exemple, il y a débat sur la guerre en Irak, nous participons à ce débat en tant que citoyens de la planète, tout comme le font les Français ou les membres de l'Assemblée nationale. Mais nous le faisons avec une vision du monde pertinente aux Québécois.

☐ ***Donc, vous faites des gains à court terme depuis 20 ans pour élargir la marge de manœuvre du Québec.***

Encore une fois, personne ne peut élargir la marge de manœuvre du Québec au sein du Canada. Trudeau, qui était un premier ministre tout-puissant, a considérablement rétréci la marge de manœuvre du Québec avec sa Constitution de mille ans. Ce que nous réussissons à faire, c'est de limiter les dégâts et, de temps à autre, à obtenir des gains ponctuels.

Pour ce qui est de ces gains, je vous invite à lire un livre publié pour marquer les vingt ans du Bloc et qui retrace l'histoire de quelques-unes de nos batailles[44].

Mais il ne s'agit pas de se limiter à des domaines d'action qui seraient essentiellement de nature constitutionnelle. Nous agissons aussi pour tout ce qui représente un courant véritable au Québec et pour nos convictions profondes.

Prenez notre action pour la reconnaissance du génocide arménien. Tous les autres partis aux Communes refusaient de s'engager avec nous dans cette cause, par crainte des réactions de la Turquie. Nous avons mené cette bataille pendant cinq ans contre vents et marées. Si la motion a été adoptée, c'est grâce au Bloc. Nous parlons ici d'une question de principe, d'une question universelle, et à travers le Bloc, c'est le Québec qui s'est exprimé.

☐ ***Pour parer au recul du Québec dans la fédération, le Bloc Québécois réclame un certain nombre de leviers additionnels. Est-ce bien réaliste ?***

Lorsque nous exigeons un siège à l'UNESCO en tant que nation, par exemple, nous pensons à l'exemple de la Belgique. Actuellement, si le Québec n'a pas la même position que le Canada à l'UNESCO sur tel ou tel enjeu, il n'a d'autre choix que de se taire. Par ailleurs, nous comprenons qu'actuellement le Canada et le Québec ne pourraient obtenir chacun un droit de vote au sein de l'organisme. Mais s'il n'y a pas entente entre le Québec et le Canada sur des compétences qui relèvent du Québec, le Canada devrait s'abstenir, comme c'est le cas pour la Belgique. Nous pourrions agir de la sorte au sein d'autres organismes internationaux où cela est permis. C'est donc

44 *Le Bloc Québécois, 20 ans au nom du Québec*, par Marie-France Charbonneau et Guy Lachapelle. Éditions Richard Vézina, Montréal, mars 2010, 189 p.

réaliste en soi, mais ce qui manque c'est la volonté politique au Canada pour répondre aux demandes du Québec.

Prenons l'exemple des sports. Nous savons que la Fédération internationale de hockey sur glace n'accepte que la participation des pays souverains à son instance décisionnelle. Par ailleurs, la Fédération internationale de rugby permet le vote à certaines fédérations qui représentent des équipes qui sont enchâssées dans de plus grands ensembles. Je pense à l'Écosse, qui a son équipe de soccer, et qui a un droit de vote au même titre que la Grande-Bretagne au sein de la FIFA. C'est la même chose pour la Fédération de curling. Porto Rico est représenté aux Jeux olympiques par une équipe alors qu'il s'agit d'un protectorat américain. Partout où cela est possible, nous pourrions tester ce modèle, ce qui serait d'une plus grande justice pour le Québec. C'est réaliste en soi, mais le Canada dit non.

Nous pourrions le faire, mais Stephen Harper a évoqué une fois le modèle belge en public et il s'est fait sérieusement rabrouer par l'intelligentsia canadienne, dans le *Globe and Mail*, entre autres. Une athlète québécoise a voulu arborer un petit drapeau du Québec dans une compétition internationale et ce fut un scandale au Canada. On voit bien que le Québec est très, très loin du compte.

□ ***Toujours dans cette optique de faire avancer le Québec, n'y a-t-il pas lieu de réfléchir également à de nouveaux aménagements fiscaux entre le Québec et Ottawa ?***

À cela, tous les partis fédéralistes disent non. Ils ont complètement fermé la porte. Nous avons avancé une idée plus modeste dernièrement, une idée très pragmatique. Nous croyons au Bloc Québécois qu'il serait plus aisé et logique que les Québécois n'aient qu'une seule déclaration de revenus à remplir. Il y a plusieurs avantages à cela. D'abord, nous évaluons à 600 millions de dollars annuellement les économies que cela ferait réaliser aux contribuables. Ensuite, cette formule permettrait l'élimination d'énormes tracasseries administratives et bureaucratiques.

Nous avons déjà le précédent de la TPS, une taxe qui est administrée uniquement par le Québec. Pourquoi ne pourrait-on pas faire la même chose pour la déclaration de revenus ?

Nous économiserions, je le répète, 600 millions de dollars aux contribuables. Il me semble que c'est une bonne proposition.

Mais même une proposition aussi pragmatique est rejetée du revers de la main. Ils refusent même de compenser le Québec pour l'harmonisation des taxes de vente et ils veulent nous imposer une agence pancanadienne des valeurs mobilières. Et ce n'est pas parce que nous ne faisons pas des propositions constructives.

☐ ***Le défi démographique, soit l'occupation du territoire québécois, constitue pour le Bloc ce que vous appelez « le troisième pilier de l'identité d'un peuple après la culture et la langue ». Quelle est l'importance pour les Québécois d'exercer le contrôle sur leur territoire ?***

En droit international, l'occupation du territoire – c'est-à-dire la capacité de gouverner son territoire – est un des critères de l'accession d'une nation à la souveraineté. Une nation doit avoir la capacité de décider sur son territoire du développement qui sera nécessaire à son épanouissement. Or, nous voyons bien que depuis des décennies nous parlons chez nous de développement régional. Duplessis même s'intéressait à cette question sans pour autant le dire aussi ouvertement. Ce thème a commencé à véritablement prendre forme au cours des années 1960-1970. Jean Lesage réclamait nommément le contrôle sur tout ce qui était développement régional. Cela devait relever de Québec, de « l'État du Québec », comme il disait avec insistance. Bourassa, par la suite, a cessé d'utiliser ce vocabulaire parce que cela choquait certaines oreilles, même si en droit international les composantes d'une fédération sont des États, comme c'est le cas aux États-Unis par exemple.

Donc, Jean Lesage réclamait que le développement régional soit décidé à Québec afin d'éviter que ces questions ne se transforment en perpétuelles luttes de pouvoir entre Ottawa et Québec. Il s'agissait, pour les projets d'infrastructure par exemple, d'établir une fois pour toutes qui va prendre la décision, qui va couper le ruban, etc. Nous avons toujours voulu revenir à l'entente de Claude Ryan de 1988 qui aurait évité au Québec de toujours renégocier les projets les uns après les autres; nous aurions évité la multiplication de la bureaucratie. Je crois qu'il est normal que les décisions soient prises par ceux qui développent le territoire. C'est l'un des nombreux moyens de faire avancer le Québec.

Je crois qu'il est normal que les décisions soient prises par ceux qui développent le territoire. C'est l'un des nombreux moyens de faire avancer le Québec.

☐ ***En attendant que le Québec devienne souverain, que peut faire le Bloc pour régler une partie du défi démographique tout en s'assurant de l'occupation du territoire ?***

Deux choses. Il peut proposer des mesures économiques et il peut œuvrer sur le plan de l'immigration.

En économie, nous pouvons faire beaucoup de choses. Prenons un exemple, celui de l'utilisation du bois dans les constructions en général. Si nous avions une politique pour favoriser l'utilisation du bois dans les structures architecturales plutôt que les sempiternelles poutres en acier, cela aiderait grandement à l'économie de bien des régions du Québec. Nous réduirions le taux de chômage en créant beaucoup d'emplois. Vous allez me dire que le bois résiste moins bien au feu. Je me suis aussi posé la question et la réponse m'est venue d'un architecte rencontré dans le sud en 2008. Il m'a dit que, contrairement à la croyance générale, le bois résiste mieux au feu que l'acier. L'acier plie à la chaleur et l'édifice s'écrase. Le bois par contre se consume lentement et finit par s'éteindre. Il résiste mieux au feu et au lieu de provoquer l'émission de gaz à effet de serre comme le béton ou l'acier, il nous aide à séquestrer le carbone.

Évidemment, en raison des pressions du lobby de l'acier, les conservateurs sont contre une telle politique. Les architectes du Québec souhaitent que l'on adopte cette politique, alors que les architectes du Canada s'y opposent. Le bois est notre ressource au Québec. Il faut délaisser l'acier et le béton et insister auprès des universités afin qu'elles recommencent à enseigner en génie l'utilisation du bois. La campagne de sensibilisation est commencée au Québec auprès de Polytechnique et des écoles de génie afin que l'on se réapproprie le savoir-faire en ce domaine. Il faut se servir de nos propres ressources. En Autriche, on construit en bois. Au Lac-Saint-Jean, à La Dorée, la municipalité donne le terrain et une dispense de taxes pendant trois ans à ceux qui viennent s'installer, mais les bâtiments doivent être construits en bois. Les gens reviennent et, de cause à effet, la population du village augmente. Il faut construire une école pour les enfants et ainsi de suite. C'est cela l'occupation, le développement et l'aménagement du territoire ; c'est un enchaînement de politiques.

☐ *Il y aurait, parmi les menaces qui pèsent sur le Québec, pour employer encore une expression de Pierre Vadeboncoeur, une fatalité de l'évolution démographique. Vous y croyez sans doute puisque vous venez de me dire que l'immigration, avec l'économie, est une des clés pour régler le défi démographique.*

Nous pouvons bien sûr poser des gestes qui feront en sorte que les naissances augmenteront. On le voit déjà avec nos politiques familiales au Québec ; il y a amélioration de ce côté. La France est également la preuve vivante de l'efficacité des politiques familiales. Le problème démographique touche d'ailleurs l'ensemble de l'Occident, le Japon et bientôt la Chine. Mais cela ne suffit pas à combler le déclin démographique et les problèmes financiers et économiques qui s'en suivent. Il y a donc l'immigration, qui, elle non plus, ne suffira pas, mais qui atténue le problème. Mais voilà, on se retrouve devant un problème difficile pour la nation québécoise : d'un côté, nous avons besoin de l'immigration et nous la voulons, parce que ça nous enrichit de toutes sortes de façons ; de l'autre, ces personnes arrivent dans un pays, le Canada, qui prône le bilinguisme et le multiculturalisme, ce qui va à l'encontre de nos intérêts et de notre façon de concevoir la citoyenneté.

☐ *Vous insistiez sur la nécessité pour le Québec de contrôler l'ensemble des pouvoirs liés à son immigration. Pourquoi ?*

Pour survivre en tant que nation – surtout lorsque cette nation francophone représente seulement 2 % des habitants d'une terre d'Amérique anglophone et hispanophone. Il faut être vigilant et avoir les moyens de cette vigilance. Il faut mettre en place des politiques, particulièrement du côté des immigrants. Nous savons tous que ceux et celles qui aspirent à un sort meilleur et qui veulent venir au Québec le feront, peu importe la langue qu'on y parle. Si ce sont des réfugiés, ils privilégient d'abord la sécurité et le niveau de vie. Or, s'il n'est pas toujours clair pour ces immigrants, lorsqu'ils choisissent de vivre chez nous, qu'ils arrivent au sein d'une nation qui est la nation québécoise avec tout ce que cela comporte de lois, notamment sur la langue française, nous risquons de courir à notre perte.

> **Nous avons fait des progrès immenses pour protéger notre langue. Si nous ne faisons pas le nécessaire pour que nos lois soient appliquées en ce domaine, l'anglais prendra rapidement le dessus sur le français. Nous le savons et nous le voyons clairement tous les jours.**

Depuis quelques décennies, nous avons fait des progrès immenses pour protéger notre langue. Mais il n'en reste pas moins que si nous ne faisons pas le nécessaire pour que nos lois soient appliquées en ce domaine, l'anglais prendra rapidement le dessus sur le français. Nous le savons et nous le voyons clairement tous les jours.

Par exemple, si on ne fait pas en sorte que les entreprises de 50 employés ou moins fassent travailler leurs employés en français, ces employés iront rapidement vers la *lingua franca* contemporaine, soit l'anglais. À Montréal, il y a de plus en plus de commerces où l'on ne parle pas français, même s'ils sont régis par nos lois. C'est pour ces raisons que je dis que si nous n'avons pas en notre possession tous les leviers du pouvoir, notre langue s'en ira à vau-l'eau. Beaucoup d'immigrants se diront : « Pourquoi donc parler français ? » Nous n'avons donc pas d'autre choix que d'être vigilants.

☐ ***Pour survivre donc, il faut contrôler non seulement le flot de l'immigration, mais aussi le caractère culturel de ceux qui immigrent.***

C'est-à-dire que nous devons transmettre un message clair. Si j'immigre en Italie, je devrai parler l'italien. Si j'immigre en Suède, je devrai parler le suédois. Cela est normal. Même ici, au Canada, les immigrants doivent maîtriser le français ou l'anglais. Le Québec a beau avoir le droit de choisir ses immigrants, il n'a pas droit au chapitre lorsqu'il s'agit de la réunification des familles ou lorsqu'il s'agit de donner à quelqu'un le statut de réfugié. Ce sont des prérogatives qui n'appartiennent qu'à des pays souverains. Un pays souverain a le devoir d'accueillir tous les réfugiés qui frappent à sa porte et il a aussi le droit de juger si la personne qu'il accueille est un véritable réfugié ou non. Mais nous leur dirons qu'ici cela se passe en français, non pas qu'ils ont le choix entre le français et l'anglais.

☐ ***J'ai lu récemment dans les journaux une lettre ouverte d'une jeune fille, une Québécoise francophone, qui affichait sa totale indifférence face au combat pour la langue. Elle affirmait même qu'il vaudrait mieux que tout le monde en Amérique du Nord vive en anglais.***

Et pourtant, la pire chose qui puisse arriver à cette planète ce serait l'uniformisation; devenir tous pareils partout, devenir la planète Hollywood ou un jour la planète Beijing, ce qui ne serait pas mieux. Pour les anglophones et pour les Chinois aussi ce serait un malheur. La richesse que procure la

La pire chose qui puisse arriver à cette planète ce serait l'uniformisation; devenir tous pareils partout, devenir la planète Hollywood ou un jour la planète Beijing, ce qui ne serait pas mieux.

diversité des langues et des cultures disparaîtrait ; l'éblouissement que nous procurent d'autres cultures ne ferait plus partie de l'expérience humaine. Nous savons tous que la culture est une façon d'atteindre à l'universel.

Prenez les Norvégiens. Ils ne sont que trois millions, mais ils sont actuellement un exemple remarquable dans les domaines de l'économie et de l'environnement, mais aussi de la diplomatie internationale. Qui n'a pas entendu parler des accords d'Oslo, par exemple ? Ils forment un tout petit peuple et ils font des choses extraordinaires. Comment se fait-il qu'un tout petit peuple puisse faire des choses aussi remarquables ? Comment se fait-il que les Suédois aient développé un cinéma remarquable, un peu comme au Québec d'ailleurs ? Ces peuples ont choisi un certain nombre de créneaux. Ils s'y sont investis. Chacun d'eux, à sa façon, sans se prétendre meilleur que les autres, s'est tourné vers l'universel.

☐ ***Comment devrait se faire cette immigration ? Le modèle actuel est-il satisfaisant ?***

Le modèle actuel n'est pas satisfaisant parce qu'en fin de compte c'est Ottawa qui a le dernier mot. Si nous regardons ce qui se passe dans un pays comme Israël, qui doit intégrer de très nombreux immigrants, nous pouvons en tirer quelques leçons. Là-bas, ils paient les immigrants pendant six mois afin qu'ils apprennent l'hébreu. Évidemment, cela coûte de l'argent à l'État. Mais cela ne rapporte-t-il pas à long terme ? Bien sûr que oui. Nous pouvons choisir d'autres façons, certes, mais ce que je veux souligner c'est que nous serons en mesure de nous donner les outils dont nous avons besoin lorsque nous serons souverains, des outils qui nous aideront à réussir une véritable intégration, qui passe très souvent par le travail, mais aussi beaucoup par la citoyenneté et la langue.

☐ ***Selon un rapport du Centre interuniversitaire de recherche en analyse des organisations (le CIRANO), le taux de chômage des immigrants québécois en 2006 était de six points de pourcentage plus élevé que celui des natifs. Cela est considérablement plus élevé que dans les autres provinces. N'est-ce pas là une tare de notre société ?***

Je pense qu'effectivement il y a là un problème, mais je n'irais pas jusqu'à parler de tare. Mais il est assez difficile de saisir, par exemple, pourquoi les Nord-Africains qui arrivent chez nous ont de la difficulté à se trouver un emploi alors qu'ils parlent la même langue que nous et qu'ils ont les compétences. Je ne saurais dire quelles en sont les causes, mais il est certain que nous avons du travail à faire de ce côté.

☐ ***N'y a-t-il pas à cet égard un problème de reconnaissance des diplômes ainsi qu'un certain corporatisme ?***

Oui et cela relève du Québec. Nous pouvons donc y faire quelque chose. Mais, d'autre part, il faudrait regarder les fluctuations dans le nombre d'immigrants au Québec. Pendant longtemps, les réfugiés préféraient s'établir au Québec en raison de nos politiques sociales plus accueillantes. Elles le sont moins aujourd'hui, puisqu'il n'est plus question pour un immigrant de bénéficier dès son arrivée, du moins pour les trois premiers mois, de l'assistance sociale. Ce phénomène des politiques sociales accueillantes a néanmoins contribué à augmenter le nombre de sans-emploi chez nous.

D'autres éléments peuvent entrer en jeu également dans cette difficulté des immigrants à pénétrer le marché du travail ; le racisme par exemple. Y a-t-il du racisme au Québec ? Bien sûr qu'il y a du racisme au Québec. Je ne connais aucune société qui peut se targuer d'en être complètement exempte. Il ne faut pas se raconter d'histoire. Il y a aussi le fait que les immigrants ne sont pas portés à s'installer à l'extérieur de Montréal. C'est dommage parce que je sais qu'il y a des emplois disponibles pour eux dans les régions. Il faut inciter les immigrants à regarder vers les régions. Je suis convaincu que leur taux de chômage diminuerait si on les informait des possibilités à cet égard. Je comprends que les gens de même origine tentent de se regrouper. C'est un phénomène qui est vrai partout. Les Québécois à Paris se regroupaient jadis entre Québécois. Il faut donc développer des structures qui favorisent en région ces regroupements, développer des masses critiques. Les Portugais, par exemple, se sont regroupés dans la région de Gatineau. À Saint-Hyacinthe, il y a également une masse critique de Québécois d'origine bolivienne qui en attirent d'autres. Ces gens ont du travail. Il faut donc songer à développer des mécanismes de ce genre avec cohérence. Mais on ne peut pas non plus exiger des immigrants qu'ils aillent là où les autres Québécois refusent d'aller.

Ce serait épouvantable de vider certains pays en voie de développement de leurs cerveaux et de leurs travailleurs qualifiés. Maintenir ces pays dans le sous-développement en les amputant de leurs cerveaux, c'est maintenir leur dépendance vis-à-vis les pays les plus nantis.

□ ***Croyez-vous qu'il faille encourager une immigration qualifiée, déjà formée en quelque sorte et qui puisse répondre aux besoins du Québec ?***

Jusqu'à un certain point oui. Mais si nous faisons cela systématiquement, je crois que nous aurons un problème ; non seulement un problème moral, mais aussi un problème de planification à long terme. Ce serait épouvantable de vider certains pays en voie de développement de leurs cerveaux et de leurs travailleurs qualifiés. Si nous pillons les pays en voie de développement de tous leurs ingénieurs, de tous leurs avocats, de tous leurs médecins, de leur intelligentsia en quelque sorte, cela sera épouvantable pour ces pays. C'est ce qui est arrivé en Haïti lorsque l'intelligentsia a dû fuir le régime de Duvalier père.

☐ ***Moralement, vous voulez dire que nous manquerions à notre devoir de solidarité envers ces pays ?***

Non seulement cela ! Nous risquerions d'en payer le prix par la suite en dépenses de sécurité, d'aide au développement international et de secours à ces pays victimes de catastrophes naturelles. Maintenir ces pays dans le sous-développement en les amputant de leurs cerveaux, c'est maintenir leur dépendance vis-à-vis les pays les plus nantis.

Toutes les démocraties modernes disent qu'elles doivent attirer des immigrants spécialisés, formés, afin de satisfaire leurs besoins. Mais je pense qu'il y a là un danger et qu'il faut reconsidérer cette approche. Il vaudrait peut-être mieux accueillir des gens encore jeunes qui n'ont aucune perspective d'avenir dans leur pays en raison du sous-développement et les former nous-mêmes ici plutôt que de piller dans le maigre bassin des gens déjà formés. Je crois qu'il y a une sérieuse réflexion à y avoir là-dessus.

☐ ***Pour faire avancer le Québec, il faut certainement s'entendre sur la nature de la citoyenneté québécoise. Qu'est-ce qu'un citoyen québécois pour le Bloc ?***

Toute personne qui vit au Québec est un citoyen québécois, point à la ligne. Cela ne veut pas dire cependant que cette personne est nécessairement de nationalité québécoise. Je pense ici aux Premières Nations. Il faut être parfaitement clair là-dessus. Je sais bien que cela fait sourciller certains souverainistes qui disent que les Premières Nations sont aussi de nationalité québécoise. Bien non ! Lorsque le premier ministre Bernard Landry a signé *La Paix des braves*[45], il a demandé au chef Ted Moses s'il était Québécois. Ce dernier a répondu qu'il était Cri. C'est ainsi que la chose s'est réglée et M. Landry l'a approuvé publiquement.

☐ ***Mais les Cris n'auraient pas un passeport cri.***

Ils auraient un passeport québécois tout comme ils ont un passeport canadien actuellement. Mais en fin de compte, un citoyen québécois est toute personne qui vit au Québec. Être citoyen d'un pays, c'est une situation objective pour toute personne qui vit sur le territoire de ce pays ; cela n'a rien à voir avec le bon vouloir. Moi, je suis de nationalité québécoise. Cela est très clair. Cela est reconnu maintenant alors que ce ne l'était pas voilà peu de temps. Mais je suis aussi *de facto* citoyen canadien, que je le veuille ou non. Je souhaite changer cela, mais tant que je suis dans le Canada, je suis citoyen canadien.

☐ ***Le lien civique, le lien citoyen d'une société passe généralement par un certain ensemble de valeurs communes. Quelles sont les valeurs communes du citoyen québécois ?***

Il y a d'abord la démocratie. Nous vivons en démocratie. Il y a l'égalité entre les hommes et les femmes et la séparation de l'Église et de l'État. Il y a toutes les valeurs qui sont au cœur

---

45 Le 7 février 2002, le premier ministre du Québec, Bernard Landry, et le grand chef du Conseil des Cris, Ted Moses, ont conclu à Waskaganish, au sud de la baie James, une entente politique et économique globale d'une durée de cinquante ans. Cette entente historique, surnommée *La Paix des braves*, marque une nouvelle ère dans les relations entre le Québec et les Cris.

de la *Charte de la langue française* et de la *Charte des droits et libertés de la personne* du Québec. Je pense que c'est fondamentalement cela les valeurs québécoises.

Ensuite, il y a notre histoire commune. Nous devons apprendre que nous étions des *Canayens*, puis des Canadiens, ensuite des Canadiens français et que nous sommes devenus des Québécois. L'Histoire est en soi le récit des transformations. Ceux qui viennent de l'étranger s'installer ici, par exemple, enrichissent notre histoire. Nous devons donc reconnaître cette histoire commune dans ses transformations. Elle fait partie de notre lien civique.

☐ ***Lorsque vous parlez d'immigration, vous dites que le Québec a choisi son propre modèle, celui de l'interculturalisme par opposition au multiculturalisme canadien. Qu'est-ce qui différencie ces deux modèles ?***

Le multiculturalisme affirme faussement qu'il n'y a pas de culture d'accueil ; que nous pouvons additionner toutes les cultures et que toutes ces cultures sont bonnes. Le résultat de cette approche est une ghettoïsation des cultures ou des groupes ethniques. Nous ne vivons pas ensemble dans le multiculturalisme ; nous vivons côte à côte. C'est également une approche un peu hypocrite puisque au fond le socle commun au Canada pour ces groupes est la langue anglaise. Il ne faut pas l'oublier. Ces gens-là s'intègrent en parlant l'anglais. C'est le *melting pot* américain additionné de la ghettoïsation des valeurs.

Je ne suis pas certain, par contre, que le terme d'interculturalisme soit le bon pour définir notre modèle. C'est le sociologue Guy Rocher qui avait mis ce terme de l'avant, mais depuis, il l'a rejeté. Je préfère de loin l'expression plus féconde qu'utilise Bernard Landry pour définir notre approche : « la voie convergente ».

La voie convergente, c'est la voie par laquelle des gens qui nous viennent d'ailleurs s'intègrent à la culture de la société d'accueil et à ses valeurs. Je parle ici de l'assise commune essentielle.

☐ ***Ne sommes-nous pas, au Québec, en train de nous inventer une nouvelle mémoire, une mémoire chimérique, comme l'affirme le sociologue Mathieu Bock-Côté, de façon à la rendre plus conforme à une sorte de conversion au pluralisme identitaire ?***

Ce n'est pas si simple. Nous avons tenu d'importants débats au Bloc Québécois sur la question de l'identité. Nous avons conclu que nous n'étions plus des Canadiens français, mais nous avons insisté pour dire que nous ne devions jamais renier notre passé. Se définir comme Canadiens français, ce serait se ranger dans la famille politique d'un Jean Chrétien. Or, nous ne pensons pas comme Jean Chrétien. Moi, Gilles Duceppe, je ne suis pas un Canadien français. Je suis un Québécois. J'ai été Canadien français. Je ne le suis plus. Les Français ne sont plus des Gaulois. Les choses évoluent avec le temps. Aujourd'hui, nous sommes des Québécois. Mais, encore une fois, cela ne veut pas dire que nous renions notre histoire. Absolument pas !

☐ ***Je ne tiens pas non plus à perdre la mémoire de mon identité canadienne-française, même si elle n'est qu'un souvenir et que je me définis aujourd'hui avec fierté comme un Québécois. Je ne voudrais pas que notre façon d'agir avec nos nouveaux concitoyens me prive de cette mémoire qui est en quelque sorte le fondement de ma québécitude.***

Vous avez tout à fait raison. Ce que je dis c'est que les nouveaux arrivants doivent s'emparer de notre histoire. Partant de là, ils vont colorer notre culture de nouvelles teintes. Je pense à cette chanteuse d'origine algérienne, Linda Thalie. Elle est fantastique ! Je l'ai entendue chanter du Vigneault. Elle a interprété *La danse à Saint-Dilon.* Lorsque j'entends Bïa chanter Beau Dommage, c'est magnifique ! Ils se sont emparés d'une part de nous-mêmes, ils sont devenus nous-mêmes et c'est merveilleux. Sans ce genre d'attitude, il y aurait eux d'un côté et nous de l'autre. Ce serait invivable. Donnons-leur le même cadre de vie que nous et ils nous apporteront beaucoup. Ne succombons pas à l'idée de leur fournir un autre cadre sociétal que le nôtre sous prétexte qu'ils ne sont pas « tout à fait pareils ». Non, je ne marche pas là-dedans.

C'est pourquoi j'insiste sur l'enseignement de notre histoire et de notre culture. Cela doit faire partie de notre système d'éducation. Encore une fois, non seulement nous ne devons pas nier notre histoire, mais nous avons aussi le devoir de la connaître autant que l'ont les nouveaux arrivants. Nos enfants doivent savoir ce qu'il en a été, quelles ont été nos luttes, comment nous sommes devenus des Québécois. Cela est drôlement important.

Regardez les Américains. Ils viennent de partout et ils ont tous la main sur le cœur et ils parlent tous de Georges Washington. Sans aller jusque-là, jusqu'à cette frénésie patriotique, nous devons au moins savoir d'où nous venons.

☐ ***Cela me ramène sur le terrain glissant des valeurs, sur le terrain du genre de société dans laquelle nous voulons vivre. J'ai cru comprendre que vous étiez en faveur de la « laïcité ouverte », ce qui est pour moi un non-sens sémantique, un oxymoron.***

Je suis en faveur de la laïcité, point à la ligne. Ce que je veux dire, c'est que l'État doit être neutre et n'a pas à être religieux. Cela signifie qu'il y a un certain nombre de règles qui ont priorité sur toutes les religions. Parizeau avait bien expliqué cela lorsqu'il a dit : « La religion des uns ne doit pas devenir la loi de tous les autres. » J'ajouterais même : « la loi de certains autres ». La loi, c'est la loi et, chez nous, elle est laïque.

Cela étant dit, le débat sur ces questions n'est pas terminé au Québec, ni d'ailleurs dans aucun autre pays occidental. On voudrait nommer les choses et faire des camps retranchés, mais je crois qu'il serait plus sage de faire aboutir la réflexion, de définir notre modèle et nous lui trouverons bien un nom par la suite. D'ici là, ne perdons pas de vue que le Canada continuera de nous imposer son modèle, son idéologie du multiculturalisme jusqu'à ce que nous choisissions la souveraineté. Et cela c'est très, très clair.

☐ ***Parlant de multiculturalisme, il y a en effet une contradiction entre le fait d'immigrer chez nous et de ne pas vouloir s'intégrer. Autrement dit, si un immigrant ne veut pas s'intégrer, pourquoi immigre-t-il ?***

C'est un débat qui a cours partout en Occident. Tous les pays occidentaux font face à cette contradiction et font face aux mêmes défis en ce qui a trait à l'immigration. Nous pourrions même dire que c'est un défi planétaire parce que je vous rappelle que c'est dans le tiers monde que se constatent les plus grands déplacements de population en raison de conflits ou de catastrophes naturelles.

Une chose doit cependant être claire pour l'immigrant au Québec. Il doit être informé que, dans la société québécoise,

Une chose doit cependant être claire pour l'immigrant au Québec. Il doit être informé que dans la société québécoise, nous vivons en harmonie avec certaines valeurs – notamment la démocratie, l'égalité entre les hommes et les femmes ou encore la prédominance du français – et que ces valeurs sont des conditions *sine qua non* au lien civique que nous chérissons.

nous vivons en harmonie avec certaines valeurs – notamment la démocratie, l'égalité entre les hommes et les femmes ou encore la prédominance du français – et que ces valeurs sont des conditions *sine qua non* au lien civique que nous chérissons. Il doit savoir qu'au Québec cela se passe de cette façon et qu'il n'a d'autre choix que d'accepter le choix de la collectivité. Le nouvel arrivant a certes des droits, mais il doit savoir qu'il a aussi des devoirs.

Une fois ce principe établi, il faut être conscient que nous faisons face à un défi particulier, car la politique canadienne du multiculturalisme accentue cette contradiction que vous avez soulevée dans votre question et je vous rappelle que cette idéologie est inscrite dans la Constitution qu'on a imposée au Québec, cette Constitution qui doit « durer mille ans » disait Trudeau.

Nous faisons donc face aux mêmes défis que les autres pays occidentaux, mais nous ne formons que 2 % de la population nord-américaine et nous ne contrôlons ni notre citoyenneté, ni nos lois fondamentales. Cela est déjà un défi difficile pour les pays occidentaux, imaginez pour le Québec ! Alors, s'il fallait que nous soyons pris avec cette Constitution canadienne pendant mille ans, nous aurions le temps de disparaître dix fois.

Alors, s'il fallait que nous soyons pris avec cette Constitution canadienne pendant mille ans, nous aurions le temps de disparaître dix fois.

Photo : Guy F. Raymond

20 mars 2010 – Gilles Duceppe en train de prononcer un discours lors du Conseil général du Bloc Québécois.

V

D'UN PAYS À L'AUTRE

« Le Bloc Québécois a obtenu une majorité de sièges à chaque élection à laquelle il a pris part : six fois de suite. Il y a là un message puissant envoyé par les Québécois. Que font les partis canadiens ? Est-ce qu'ils écoutent les Québécois ? Est-ce qu'ils tentent de répondre aux aspirations des Québécois ? Non, ils changent les règles du jeu pour ne plus avoir à tenir compte du Québec. Voilà le message, voilà l'avenir qu'on prépare pour le Québec au sein du Canada. »

– Gilles Duceppe, le 8 mai 2010, dans le cadre du colloque « Vingt ans après Meech, quel est l'avenir du Québec dans le Canada ? »

☐ ***En 1990, vous avez été le premier souverainiste élu à la Chambre des communes. Vous avez dit le 20 novembre 2009, soit près de vingt ans plus tard, que vous étiez plus que jamais convaincu de la nécessité de la souveraineté du Québec. Vous avez même dit : « avec un sentiment d'urgence encore plus prononcé », « une conviction plus profonde ». Pourquoi cette urgence ?***

Le phénomène de la mondialisation s'accentue et va s'accentuer davantage. Ne serait-ce que par les migrations humaines, la puissance des moyens de communication, la proximité de plus en plus grande entre les êtres humains. Dans ce contexte, les identités nationales prennent une grande importance.

Cela est vrai non seulement pour nous, mais de façon généralisée à l'échelle de la planète. Dès lors, pour participer à ces grands ensembles, il faut exister. C'est une nécessité et une évidence.

Il y a aussi la situation démographique du Québec. Je vous l'ai dit, nous allons en nous rapetissant au sein du Canada. Plus nous perdons de notre poids politique, plus nous perdons de notre importance. Nous le voyons bien avec ce durcissement des Canadiens face aux aspirations du Québec vingt ans après Meech.

Et il y a le fait français. Ce qui peut arriver de mieux pour les communautés francophones à l'heure actuelle est l'avènement d'un État francophone solide en terre d'Amérique. Le seul État francophone aujourd'hui en Amérique se nomme Haïti. Et vous conviendrez, en tout respect et, pour ma part, en toute admiration pour le peuple haïtien, que cet État ne représente pas ce qu'il y a de plus solide. Pour toutes ces raisons, il est grand temps que l'on agisse.

Comme je vous l'ai dit, je suis convaincu que toute nation a la politique de ses intérêts. C'est ce que font les Canadiens et je ne les blâme pas de décider en majorité. Je dis simplement que cette majorité n'est pas notre majorité à nous, certainement pas. Nous l'avons bien vu lors du sommet de Copenhague sur l'environnement ; nous avons bien vu leur position. Elle était à des années-lumière de celle du Québec. Nous le voyons partout. Ce sont leurs prises de position qui triomphent, pas les nôtres. Et même lorsque le Québec est représenté à Ottawa par une majorité de fédéralistes – comme ce fut le cas avant l'existence du Bloc – ce sont toujours les positions canadiennes qui ont prédominé sur celles du Québec. Cela va aller en s'accentuant.

☐ ***Y a-t-il plus de raisons aujourd'hui de faire la souveraineté qu'en 1980 ou 1995 ?***

En fait, ce sont les mêmes raisons, mais qui se sont intensifiées en raison du contexte. Comme je l'ai dit, le Québec se rapetisse de plus en plus dans le Canada, tandis que la mondialisation prend de plus en plus d'importance.

Mais l'essentiel de notre projet était déjà défini dans la pensée de René Lévesque en 1967. M. Lévesque avait très bien compris que le projet souverainiste était la synthèse de deux grands mouvements, d'abord celui de l'affirmation nationale et ensuite celui de la mise en commun de certains idéaux par l'association. Ce que nous disons aujourd'hui était déjà dans le projet de René Lévesque.

Lévesque avait très bien compris que le projet souverainiste était la synthèse de deux grands mouvements, d'abord celui de l'affirmation nationale et ensuite celui de la mise en commun de certains idéaux par l'association. Ce que nous disons aujourd'hui était déjà dans le projet de René Lévesque.

Dans le reste du Canada, certains me disent que si le Québec devient souverain, il faudra que les autres provinces le deviennent. Je leur réponds que je n'ai aucun problème avec cela, que s'ils me proposent l'Union canadienne à l'image de l'Union européenne je leur dis que je suis d'accord, mais qu'il faut d'abord pour ce faire que le Québec devienne un pays. Essentiellement, c'était cela le projet de René Lévesque. C'est avec cette compréhension du projet souverainiste qu'il a fait le référendum de 1980 et c'est encore avec cette idée de partenariat que nous avons fait celui de 1995.

François Mitterrand affirmait que pour participer pleinement à un ensemble politique, il fallait d'abord exister pleinement en tant qu'entité politique nationale. Vous ne pouvez pas exister à moitié. Donc, le Québec a une décision à prendre.

Aujourd'hui, avec le durcissement de l'opinion canadienne face au Québec, il est plus urgent que jamais que le Québec devienne un pays. On n'en sort pas. Une fois cela accompli, nous pourrons alors travailler sur les arrangements, les associations, les partenariats avec les autres nations, pas seulement avec le Canada d'ailleurs.

☐ ***Peut-on parler d'unité au sein du mouvement souverainiste aujourd'hui ?***

Je pense que oui. Il peut certes y avoir des gens qui, d'un point de vue économique ou sur la base des valeurs sociales et culturelles, se situent plus à droite ou plus à gauche au sein du mouvement. Il y a par exemple des « lucides » et il y a des « solidaires ». Cela a toujours été une composante de nos débats politiques. C'est d'ailleurs un phénomène qui se manifeste dans tous les pays démocratiques. Chez les souverainistes, il y a des gens à gauche, à droite et au centre. Ce qui nous cimente, c'est notre volonté commune de nous donner un pays à nous.

☐ ***Vous voyez partout sur la planète la formation et la consolidation de grands blocs tels l'Europe, le Mercosur, l'ALÉNA ou l'Asie. Cela se concrétise même au niveau des monnaies, comme c'est le cas par exemple avec l'euro. Malgré cela, vous affirmez que les identités nationales ne sont pas affaiblies ?***

Tous les exemples que vous me donnez sont de grands ensembles constitués par des associations de pays souverains. Ils ne sont pas issus d'entités floues ; ils sont la somme de pays qui n'ont pas renoncé à leur indépendance. La force de ces grands ensembles réside justement dans le fait qu'ils sont constitués de pays souverains. Comment pourrait-on céder une part de la souveraineté que l'on n'a pas ?

☐ ***Si nous ne sommes pas un pays souverain et si nous ne sommes pas non plus dans la Constitution canadienne, que sommes-nous ?***

Politiquement, nous sommes dans les limbes. Je sais bien que le Vatican a aboli les limbes en 2007, mais nous au Québec, nous semblons nous complaire dans une sorte de lieu intermédiaire et flou de l'Histoire depuis 1995. C'est hélas pour l'instant notre réalité. François Mitterrand affirmait que pour participer pleinement à un ensemble politique, il fallait d'abord exister pleinement en tant qu'entité politique nationale. Vous ne pouvez pas exister à moitié. Vous ne pouvez pas être enceinte à moitié. Donc, le Québec a une décision à prendre.

Si nous voulons véritablement exister, nous devenons un pays. Sinon, nous devenons une province comme les autres. Nous voyons bien, à l'usage, qu'en tant que province, le Québec ne peut être autre chose qu'une minorité contrainte à sans cesse quémander, une minorité qui ne peut décider par elle-même de ce qu'elle souhaite, une minorité dont la moitié des pouvoirs est à Ottawa. Lorsque vous demandez aux Canadiens quel est leur Parlement, ils vous répondent immanquablement que c'est avant tout Ottawa. Posez la même question aux Québécois et ils vous diront que c'est avant tout l'Assemblée nationale.

☐ ***Revenons aux limbes. Si le Québec ne se sort pas de ce lieu politique qui en fait n'en est pas un, s'il persiste dans le* statu quo*, ni province ni pays, que va-t-il advenir de nous ?***

Je pense qu'inévitablement, si nous ne nous donnons pas les moyens d'un État souverain, nous allons nous engager sur la douce pente de la disparition. Je ne dis pas que cela arrivera dans 10 ans ou dans 15 ans. Je dis qu'inévitablement, un jour, nous serons rendus au point de non-retour. La pression sera intenable, trop forte. Les Canadiens prendront d'autres décisions à Ottawa qui contribueront à nous aliéner davantage ; nous serons de plus en plus minoritaires. Ils seront de plus en plus majoritaires. Toutes les décisions qu'ils prendront iront d'abord dans le sens de leurs intérêts. Nous n'aurons plus d'outils pour nous affirmer.

Lorsque nous serons rendus à ce point de non-retour, lorsque nous réaliserons que nous en sommes là, il sera alors trop tard pour décider de prendre le contrôle de notre destinée. C'est la raison pour laquelle je dis qu'il est plus urgent que jamais d'agir.

Lorsque nous serons rendus à ce point de non-retour, lorsque nous réaliserons que nous en sommes là, il sera alors trop tard pour décider de prendre le contrôle de notre destinée. C'est la raison pour laquelle je dis qu'il est plus urgent que jamais d'agir.

□ ***Dans son texte publié dans le numéro de février 2010 de l'*****Action nationale** ***et intitulé « Refus et résistance », quelques semaines avant sa mort, Pierre Vadeboncoeur affirmait que les Québécois n'avaient pas dit leur dernier mot en ce qui avait trait à la souveraineté du Québec. Vos adversaires, les fédéralistes, affirment haut et fort que cette idée est bien morte et enterrée.***

Les fédéralistes ont toujours fait des prophéties à travers le temps qui ne se sont jamais réalisées. Prenez Charlottetown. Tout le monde nous disait que le projet souverainiste était fini, que l'accord de Charlottetown allait passer. On connaît la suite.

Trudeau affirmait que la souveraineté c'était fini quelques mois avant l'élection du premier gouvernement du Parti Québécois. Jean Chrétien affirmait aussi, en 1995, aux premiers jours de la campagne référendaire, que le mouvement souverainiste allait connaître son chant du cygne. Il a dit qu'on « allait en manger une maudite ». Il a dû ravaler ses paroles. Souvenez-vous de l'arrivée de Paul Martin. Le Bloc devait disparaître. Souvenez-vous de l'arrivée de Stephen Harper. Et quand Michael Ignatieff a pris la tête du Parti libéral du Canada, il devait nous balayer lui aussi.

Il y a donc toujours eu de ces prévisions mirobolantes et de ces appels au sauveur du côté des fédéralistes, les derniers en date étant Jean Charest, Paul Martin et Stephen Harper. Mais les sauveurs n'ont jamais existé ; nous l'avons bien vu. C'est fini !

Il y a donc toujours eu de ces prévisions mirobolantes et de ces appels au sauveur du côté des fédéralistes, les derniers en date étant Jean Charest, Paul Martin et Stephen Harper. Mais les sauveurs n'ont jamais existé ; nous l'avons bien vu. C'est fini !

Et comment maintenant expliquent-ils le fait que nous soyons toujours là ? Comment expliquent-ils que malgré tout ce qu'ils disent, que malgré leurs grandes prophéties, rien ne soit réglé ? Je pense que c'est exactement cela qu'affirmait Pierre Vadeboncoeur quand il avançait que le Québec n'a pas dit son dernier mot. Il disait que le Canada est un pays qui ne correspond pas à ce que nous sommes. C'est ça qui est fondamental. Il y a deux pays dans ce pays.

☐ ***Mais, malgré ce que vous dites, malgré la résistance à travers l'Histoire, force nous est de constater que nous n'avons pas encore rompu les liens avec le Canada.***

C'est vrai, mais les Québécois constituent un peuple bien particulier. D'un côté, il y a bien peu de nations qui, si elles avaient eu la possibilité de former un pays souverain comme nous, démocratiquement et sans violence, auraient choisi de ne pas s'en prévaloir. De l'autre côté, il y a bien peu de peuples dans l'Histoire qui ont réussi à non seulement survivre, mais à s'épanouir comme le nôtre, sans violence ou presque, tout en étant conquis et mis en minorité.

Mais en même temps, il y a des forces opposées qui se manifestent et qui sont le contraire de l'indifférence. Il s'agit d'une volonté forte et durable de s'affirmer, d'exister.

Donc, le Québec serait en quelque sorte habitué à ce confort relatif. Cela évoque le film de Denys Arcand, *Le confort et l'indifférence*.

Mais en même temps, il y a des forces opposées qui se manifestent et qui sont le contraire de l'indifférence. Nous ne pouvons pas être indifférents à toutes ces années de lutte, au combat si admirable, si avant-gardiste et beau des Patriotes en 1837, aux sursauts nationalistes, puis à l'émergence du Parti

Québécois et du Bloc Québécois. Il ne s'agit clairement pas d'indifférence ici ; il s'agit d'une volonté forte et durable de s'affirmer, d'exister.

Il a fallu parfois énormément de temps à certains peuples pour s'affranchir et se réaliser. Prenez les Polonais, un peuple qui est passé à travers quelques occupations et dominations à travers les siècles. Est-ce qu'ils ont cessé d'être des Polonais ? Les Écossais ont perdu leur Parlement indépendant voici plus de trois cents ans. Ont-ils cessé de vouloir le rétablir et d'être Écossais ? Il y a des luttes qui durent très longtemps.

L'historien britannique Arnold Joseph Toynbee[46] a déjà affirmé qu'il restera sur terre deux peuples à la fin des temps, les Chinois et les Canadiens français. Il avait constaté que nous résistions pour demeurer ce que nous sommes. Les Chinois, disait-il, s'intègrent très difficilement là où ils émigrent et les Canadiens français, malgré tous les efforts faits pour les assimiler, demeurent avec la volonté farouche de résister et de continuer à être ce qu'ils sont.

Et puis, il y a l'exigence démocratique que nous nous sommes imposée, avec raison d'ailleurs. L'indépendance du Québec s'inscrit dans une démarche qui est irréprochable au plan démocratique. C'est plus exigeant que de prendre une décision avec une simple majorité parlementaire. C'est beaucoup plus noble que de prendre les armes. Cela prend plus de temps, mais ce sera d'autant plus solide comme décision.

---

46 Arnold Joseph Toynbee (14 avril 1889-22 octobre 1975) était un historien britannique. Son analyse en douze volumes de l'essor et de la chute des civilisations, *Étude de l'histoire (A Study of History)*, parue entre 1934 et 1961, est une synthèse de l'histoire mondiale basée sur les rythmes universels de la croissance, de l'épanouissement et du déclin.

☐ ***Nous résistons tout en refusant de nous départir de cet étrange confort, un confort comparable à celui de l'oiseau dans sa cage qui n'ose pas sortir par peur de l'inconnu. Beaucoup disent en somme que nous sommes tellement mieux au Québec qu'ailleurs qu'il serait stupide de quitter la cage.***

C'est le genre d'arguments que l'on sert régulièrement à ceux qui ne souffrent pas de façon épouvantable. Combien de fois, par exemple, a-t-on dit aux femmes qu'elles étaient bien au foyer, qu'elles se faisaient vivre, qu'elles étaient comblées et qu'elles se plaignaient le ventre plein ? Alors que nous savons tous que beaucoup de femmes n'aspirent pas du tout à ce genre de « confort ». Elles conçoivent leur humanité autrement ; elles veulent vivre et vivre comme elles l'entendent. La liberté, c'est aussi de ne pas être entretenu.

En d'autres mots, il suffirait que le Canada entretienne le Québec – ce qui est loin d'être le cas ! – pour qu'il ne dise pas un mot, pour qu'il reste dans sa cage ? On lui permettrait bien sûr de sortir de temps en temps, de voyager, pour lui démontrer qu'il ne vit ni dans un goulag ni dans une prison. « Vous êtes bien comme vous êtes », nous disent-ils. Est-ce que les Canadiens accepteraient, eux, d'être dans cette situation ? Il n'y a pas une province qui aurait accepté que la Constitution soit rapatriée sans sa signature. Mais puisqu'il s'agissait du Québec, cela était plus ou moins important. On s'est passé de notre accord en 1982 et on nous a dit : « Vous êtes bien, là ! Qu'est-ce que vous avez à chialer ? Il y a autre chose que ça dans la vie ! »

☐ ***Mais cette prise de conscience n'est peut-être pas encore l'apanage de la majorité au Québec.***

Je pense que les Québécois souhaitent être maîtres chez eux. Mais ils ont peur de franchir le Rubicon, d'être totalement responsables. Cela représente un véritable défi. Cela signifie que nous devrons prendre toutes nos décisions nous-mêmes. Cela veut dire que nous devrons assumer aussi tous nos échecs nous-mêmes et que nous ne pourrons blâmer personne d'autre pour ces échecs. Il peut sembler y avoir un certain avantage à ne pas être totalement responsables, celui de pouvoir reporter la faute de l'échec sur les autres. Il faut que nous passions outre à ce réflexe.

☐ ***Vadeboncoeur allait jusqu'à dire que « la politique patiemment assimilatrice du pays à notre égard » fait des fédéralistes francophones « les instruments d'un génocide tranquille ». Êtes-vous prêt à aller jusque-là dans votre analyse de la situation ?***

Je fais toujours très attention avant d'utiliser le mot génocide, un mot lourd de sens et qui ne doit pas être utilisé à la légère, surtout par un chef politique.

Nous avons souvent des débats au sein de l'aile parlementaire du Bloc Québécois afin de déterminer si à propos de tel ou tel pays nous devons parler de génocide ou de crime contre l'humanité. Ce sont des questions très graves.

Le terme génocide renvoie à une intention délibérée de faire disparaître un groupe humain, ethnique, politique ou autre. Ce n'est quand même pas le cas des fédéralistes envers le Québec. Ce fut peut-être le cas dans le temps.

Avec Durham, il s'agissait très manifestement de ce que l'on pouvait appeler un « génocide culturel », et pas si tranquille que ça. Mais Durham était considéré à l'époque comme un libéral. En Angleterre, il faisait partie de l'aile progressiste. Le progrès pour les Anglais à cette époque consistait à apporter « la civilisation » aux autres. Ils nous apportaient donc « la civilisation » en croyant fermement qu'il valait mieux nous assimiler. L'assimilation conçue de cette façon, surtout après ce qui s'était passé en 1837-1838, c'était moins tranquille ;

il s'agissait de faire disparaître un peuple supposément « sans histoire et sans culture ». De plus, lorsqu'on parle de génocide, on comprend que la nation visée n'a plus aucun droit, même pas à la vie, comme ce fut le cas pour les Juifs sous les nazis.

C'est très loin d'être le cas au Québec, puisque nous avons le pouvoir démocratique de changer les choses. Nous pouvons, du jour au lendemain, nous gouverner nous-mêmes. Il suffit de dire « oui ». J'aime beaucoup Vadeboncoeur, mais là-dessus je ne le suis pas.

Ce qu'on peut affirmer cependant, c'est que ceux qui au Québec prônent le fédéralisme nous demandent de prendre un énorme risque pour l'avenir. On disait souvent dans le passé que les souverainistes avaient le fardeau de la preuve. Je crois que ce fardeau est maintenant sur les épaules des fédéralistes québécois, sur ceux-là mêmes qui adhèrent aux demandes du Québec et qui se font dire non, non et encore non. Les fédéralistes québécois nous demandent de danser avec un partenaire qui s'y refuse. Ils nous demandent d'accepter toutes les défaites jusqu'à la victoire finale ! C'est un pari très risqué pour l'avenir du Québec et ils devraient avoir l'honnêteté de présenter franchement la nature de ce pari aux Québécois.

Ceux qui au Québec prônent le fédéralisme nous demandent de prendre un énorme risque pour l'avenir. On disait souvent dans le passé que les souverainistes avaient le fardeau de la preuve. Je crois que ce fardeau est maintenant sur les épaules des fédéralistes québécois, sur ceux-là mêmes qui adhèrent aux demandes du Québec et qui se font dire non, non et encore non. Les fédéralistes québécois nous demandent de danser avec un partenaire qui s'y refuse.

☐ ***Pour préparer la souveraineté, il faut préparer les négociations qui nous permettront de la finaliser. Où se situe le Bloc à cet égard ?***

Le Bloc a un rôle stratégique à jouer. À la Chambre des communes, d'abord, où nous pourrons veiller aux intérêts du Québec. C'est important parce que la communauté internationale aura les yeux braqués sur Ottawa, par l'intermédiaire du corps diplomatique. Ensuite, parce que nous avons développé une expertise sur les dossiers fédéraux et sur l'appareil fédéral, ce qui sera très utile pour passer d'un pays à l'autre.

Il y a bien sûr l'avis de la Cour suprême dont il faudra tenir compte et, surtout, qui obligera le Canada à négocier. Mais je dis à mes gens de ne pas s'énerver avec cet avis ou avec la *Loi sur la clarté*. Nous allons faire nos affaires en fonction de l'Assemblée nationale et eux décideront comment ils entendent négocier. Nous ne pouvons pas leur dicter nos lois pour négocier. Autant les nôtres sont les nôtres, autant les leurs sont les leurs. Mais ils devront tenir compte de l'avis de la Cour suprême qui dit qu'ils sont obligés de négocier de bonne foi à la condition que nous présentions une question claire lors du prochain référendum. Et notre question sera claire, je n'en doute pas.

☐ ***Mais ils vont vous dire que vous prenez ce qui vous convient dans les lois lorsque vous choisissez de tenir compte de l'avis de la Cour suprême et non de la* Loi sur la clarté référendaire.**

Si la dernière fois nous avions choisi une question sans la notion de partenariat et que nous en avions parlé pendant la campagne référendaire, ils nous auraient reproché de ne pas l'avoir inclus dans la question. Et si nous ajoutons cette idée de partenariat dans la question, comme ce fut le cas en 1995, ils nous reprochent alors de l'avoir fait. C'est « *damn if you do, damn if you don't* ». À moins qu'ils ne nous disent : « Voulez-vous que le Québec soit un pays souverain où il pleuvra tous les jours et il fera soleil une demi-heure par jour ! » Non, sérieusement, les Canadiens vont peut-être vouloir que nous utilisions le mot « séparé » plutôt que le mot « souverain ». Je leur rappellerai qu'aux Nations unies personne ne parle d'Assemblée des nations séparées, mais bien de nations unies, toutes souveraines.

☐ ***Ils voudront aussi s'entendre sur un pourcentage d'approbation acceptable pour faire la souveraineté lors du référendum.***

Un pourcentage acceptable, c'est 50 % plus un. Prenons l'exemple du Monténégro. Contrairement à ce que bien des gens pensent, l'Union européenne a demandé à tous les partis au Monténégro, et non pas en Serbie, de s'entendre sur un pourcentage. Certains voulaient 75 %, d'autres 66 %, d'autres 50 %. Lorsque vous vous serez entendus, a décrété l'Union européenne, vous signerez une lettre disant que si ce pourcentage est atteint vous respecterez la décision populaire. Ils ont fixé la barre à 55 % et ils ont tous signé.

Au Québec, le Parti libéral, le PQ, l'ADQ, Québec solidaire s'entendent tous. C'est 50 % plus un. Donc, une fois cette question de la majorité réglée, Ottawa devra accepter les résultats du référendum et négocier de bonne foi. C'est d'ailleurs ce que la Cour suprême a dit. S'ils refusent de le faire, ils vont démontrer leur mauvaise foi et la communauté internationale portera un jugement.

Et que croyez-vous qu'il va arriver ? Si une nation comme le Québec vote démocratiquement pour la souveraineté et que ce vote est nié par l'autre partie, que reste-t-il comme voie pour accéder à la souveraineté ? Après un référendum gagnant, le Canada devra négocier de bonne foi et dans le cas contraire la communauté internationale tranchera et le Québec souverain sera reconnu.

En réalité, comme je l'ai dit plus tôt, la *Loi sur la clarté référendaire* avait pour objectif à l'époque de rassurer les Canadiens. Chrétien voulait montrer qu'il faisait quelque chose. Pour le reste, il s'agit d'un outil pour tenter d'intimider les Québécois, pour les décourager en leur disant : « De toute façon, si jamais vous votez "oui", on n'acceptera pas le résultat. Abandonnez, vous n'y arriverez jamais. » C'est toujours la même chose. En 1970, la promulgation de la *Loi sur les mesures de guerre*, c'était une tentative d'intimidation contre les souverainistes et c'était parfaitement dégueulasse de la part de Trudeau et ça s'est d'ailleurs retourné contre le fédéralisme canadien.

La *Loi sur la clarté référendaire* avait pour objectif à l'époque de rassurer les Canadiens. Chrétien voulait montrer qu'il faisait quelque chose. Pour le reste, il s'agit d'un outil pour tenter d'intimider les Québécois, pour les décourager.

Cette loi de Chrétien et Dion, c'était tout aussi répugnant d'un point de vue démocratique, et ça pourrait bien se retourner contre le gouvernement fédéral encore une fois. Le Bloc sera présent au sein du comité prévu par la loi et vous pouvez être certain que nous ne manquerons pas une occasion de faire la démonstration que le Canada est de mauvaise foi, si c'est le cas. Cela ne passera pas inaperçu aux yeux de la communauté internationale, ni aux yeux des Québécois.

☐ ***La politique actuelle du Québec face aux autochtones changerait-elle dans un Québec souverain ?***

Elle devrait s'améliorer. Notre position de base prévoit que les nations autochtones conserveront tous les droits qu'elles ont actuellement au sein du Canada et nous ne pouvons pas dire que ce sera difficile de faire mieux que cela. Et puis, le gouvernement fédéral dépense quelque 8 milliards de dollars par année pour les Affaires autochtones. Le Québec contribue pour 20 % de cette somme alors qu'il compte moins de 10 % des autochtones sur son territoire. Nous aurons donc les moyens de nos ambitions. Mais l'objectif ultime est de faire en sorte que les nations autochtones aient les moyens de leur propre développement économique, social et culturel.

Nous avons déjà conclu des accords avec les Cris et les Inuit. Il faudra en arriver aussi à conclure des traités avec les autres Premières Nations, de nation à nation. Nous signerons également la *Déclaration des Nations unies sur les droits des peuples autochtones*, ce que le Canada ne fait pas. Nous discuterons ensuite avec le Canada, les États-Unis et les autres pays du cercle de l'Arctique afin de mettre au point une entente globale qui permettra à tous les peuples autochtones de ces régions d'exister en tant que nation sans remettre en question les territoires qui sont les nôtres. À cet égard, nous aurons à faire un grand travail d'éducation auprès des Québécois. Nous devons apprendre à coexister beaucoup plus et beaucoup mieux.

Personnellement, je ne crois pas à l'idée du « bon sauvage » de Rousseau. Les autochtones, comme les Québécois, ne sont ni intrinsèquement meilleurs, ni pires que les autres nations. Mais quand j'entends des Québécois dire que les autochtones sont tous sur l'assistance sociale et que je constate qu'aux Escoumins ils ont tous du travail, je me rebiffe. Je leur dis : « Faites-vous une idée ! Vous n'êtes pas contents quand ils chôment ! Vous n'êtes pas contents quand ils travaillent tous ! » À Essipit, ils se sont pris en main ; ils ont développé une économie. Cela est assez extraordinaire.

☐ ***Pourquoi tenez-vous tant à ce qu'un Québec souverain signe la* Déclaration des Nations unies sur les droits des peuples autochtones *?***

D'abord, parce qu'il est temps de reconnaître formellement le caractère national des Premières Nations. Lorsque les autochtones insistent auprès du Canada pour qu'il signe cette déclaration, ils soutiennent que l'adhésion d'Ottawa aux principes qui sous-tendent le document ne remettrait en question ni la Constitution canadienne ni les territoires du Canada. La Déclaration donne tout simplement droit à l'autodétermination des peuples autochtones à l'intérieur des territoires du Canada. Si tant est que cette règle soit vraie pour tous les pays du monde, elle le sera aussi pour le Québec souverain.

La Déclaration donne tout simplement droit à l'autodétermination des peuples autochtones à l'intérieur des territoires du Canada. Si tant est que cette règle soit vraie pour tous les pays du monde, elle le sera aussi pour le Québec souverain.

De plus, cette déclaration est conforme à la position du Canada en droit international en ce qui a trait aux frontières des pays nouvellement souverains. Lorsque la Yougoslavie a éclaté, le Canada a affirmé que les frontières des nouveaux pays souverains issus de l'ancienne Yougoslavie étaient immuables. Si cette politique est vraie sur la scène internationale, elle est aussi vraie pour le Québec. Et si le Québec a reconnu les Cris et les Inuit comme des nations qui habitent désormais non pas des réserves, mais des municipalités, les droits de ces autochtones au Québec sont équivalents aux droits des autochtones au Canada. Autrement dit, le principe d'autodétermination doit recevoir la même application en sol québécois qu'en sol canadien.

☐ ***Vous avez déjà évoqué le concept de la supraterritorialité[47]. Qu'en est-il exactement ?***

Je travaille beaucoup sur ce concept qui permet le respect du territoire des Blancs, mais qui permet également à une nation autochtone de concevoir l'ensemble de son territoire comme étant un. Par exemple, le territoire des Mohawks d'Akwesasne chevauche le Québec, l'Ontario et l'État de New York. La supraterritorialité leur permettrait d'avoir un certain nombre de droits relatifs à l'autodétermination qui s'appliqueraient à un seul territoire tout en ne remettant pas en question les trois autres territoires. Ils pourraient, par exemple, se doter d'un système unique d'éducation.

Un Québec souverain pourrait ainsi permettre la libre circulation entre le Canada et le Québec afin d'assurer la poursuite des relations entre nations autochtones québécoises et canadiennes. Les États-Unis pourraient toujours permettre la libre entrée des Indiens du Québec sur son territoire selon l'Acte de Jay de 1794 et réciproquement.

---

47 La supraterritorialité a été traitée comme étant le droit d'entretenir des liens pour les membres d'une nation, mais d'États différents, tel que défini à l'article 36 de la *Déclaration des Nations unies sur les droits des peuples autochtones.* Cette déclaration demande aux États de permettre les relations entre les membres d'une même nation, mais d'États différents. Ainsi :

1. Les peuples autochtones, en particulier ceux qui vivent de part et d'autre de frontières internationales, ont le droit d'entretenir et de développer, à travers ces frontières, des contacts, des relations et des liens de coopération avec leurs propres membres ainsi qu'avec les autres peuples, notamment des activités ayant des buts spirituels, culturels, politiques, économiques et sociaux.
2. Les États prennent, en consultation et en coopération avec les peuples autochtones, des mesures efficaces pour faciliter l'exercice de ce droit et en assurer l'application.

Dans les années 1920, les États-Unis ont modifié leurs lois sur l'immigration et, depuis, les personnes nées au Canada ayant au moins 50 % de sang autochtone peuvent entrer, vivre et travailler aux États-Unis sans restrictions en matière d'immigration.

Je pense que ce concept devrait être particulièrement mis en application dans l'Arctique où des Premières Nations chevauchent les frontières des pays membres de la Conférence circumpolaire. Ces Premières Nations devraient être consultées avant que les pays de la Conférence ne mettent en marche un grand projet. Je puis vous assurer que beaucoup de progressistes au Canada trouvent cette approche intéressante.

En revanche, les conservateurs ne sont pas très chauds à cette idée. Tom Flanagan m'a remis le livre[48] qu'il vient d'écrire sur les autochtones et je puis vous assurer qu'il ne partage pas mes idées sur ces questions.

Mais je pense que cela vaut la peine de pousser la réflexion et je verrais bien le Québec souverain faire figure de précurseur. Depuis 400 ans, nous avons toujours été au cœur du développement du continent. C'est moins vrai aujourd'hui, cantonnés que nous sommes dans ce statut provincial, mais le Québec souverain nous permettra de renouer avec cet esprit de liberté et d'ouverture qui nous a autrefois permis de découvrir de larges pans de l'Amérique du Nord et de nous lier avec les autochtones.

48 *Beyond the Indian Act: Restoring Aboriginal Property Rights*, par Tom Flanagan, Christopher Alcantara et André Le Dressay, Éditions McGill-Queens, février 2010, 224 p

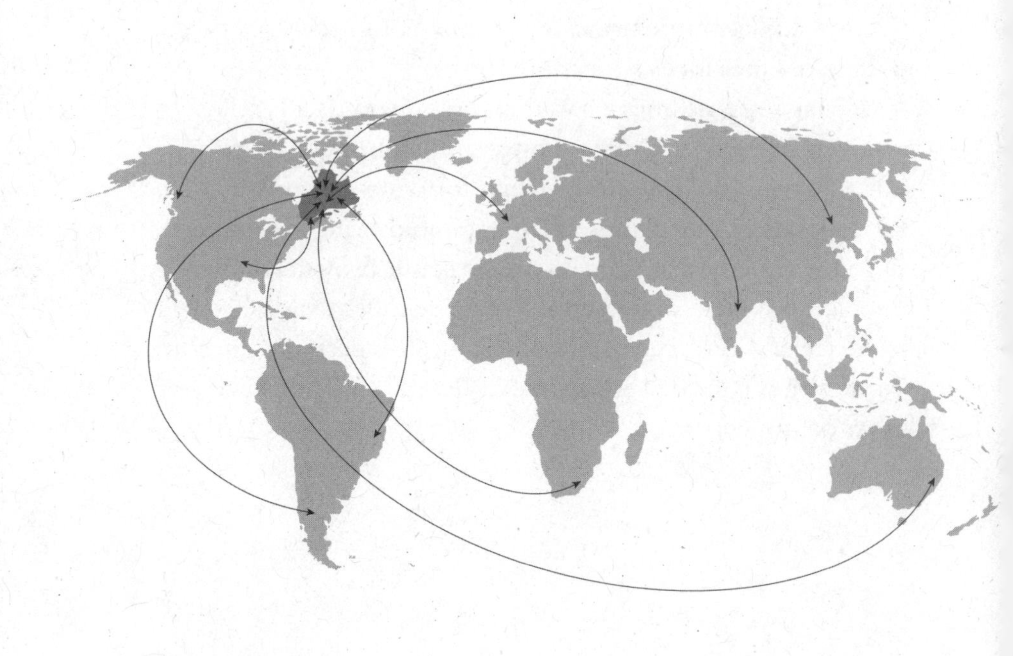

VI

LA SOUVERAINETÉ POUR GAGNER DANS LE MONDE ACTUEL

« Nous avons le devoir d'ouvrir les yeux des Québécois, mais aussi de leur présenter l'autre voie, celle de la liberté. De souligner que, dans un Québec souverain, nous serons maîtres de notre destinée, que nous pourrons assurer la prédominance de la langue française, que nous pourrons contrôler notre immigration, définir notre propre citoyenneté, protéger et assurer l'épanouissement de notre culture. Dans un Québec souverain, nos juges maîtriseront tous le français ! Notre poids politique sera de 100 % et personne d'autre que nous ne parlera en notre nom dans le monde ! La souveraineté ne changera pas la géographie et les Canadiens continueront d'être nos voisins et les Acadiens et les autres francophones demeureront nos frères. Mais vous savez, je suis convaincu que nous saurons nous entendre beaucoup plus facilement de pays à pays. »

– Gilles Duceppe, le 8 mai 2010, dans le cadre du colloque « Vingt ans après Meech, quel est l'avenir du Québec dans le Canada ? »

☐ ***Un Québec souverain récupérerait la panoplie des pouvoirs qu'on lui refuse dans le Canada, qu'il s'agisse de langue, d'économie, de fiscalité, de culture, d'affaires internationales, etc. Il pourrait ainsi développer une véritable politique nationale. À quoi ressemblerait cette politique nationale ?***

Il y aurait plutôt *des* politiques nationales. On ne peut pas présumer du détail de ces politiques, qui seront adoptées par l'Assemblée nationale. C'est ce qui fait la beauté de la chose. Comme nous disions en 1995 : « Oui et ça devient possible ». Nous n'allons quand même pas nous donner la liberté politique et du même coup bétonner l'avenir. Ce que nous nous offrons avec la souveraineté, c'est la liberté pour chaque génération de prendre les meilleures décisions pour le Québec.

Ce que nous nous offrons avec la souveraineté, c'est la liberté pour chaque génération de prendre les meilleures décisions pour le Québec.

Mais ce que nous pouvons dire, c'est qu'en matière identitaire, ce serait beaucoup plus simple d'assurer la prédominance du français et la vitalité de notre culture. Le Québec souverain sera assurément un pays francophone. Ce sera déjà tout un changement !

Pour ce qui est de la culture, nos politiques seront enfin conçues en fonction de notre réalité. Au Québec, nous misons beaucoup sur la culture, au départ parce que c'est vital pour notre nation. Ce sera aussi un axe important de notre politique étrangère, qui contribuera à définir l'image de marque du Québec dans le monde, ce que certains appellent le *branding* d'un pays. Et puis, il faut réaliser que la culture constitue un moteur économique très important. Il s'agit par exemple d'un des secteurs d'exportation les plus importants des États-Unis. Dans un Québec souverain, nous aurons plus de moyens de miser sur la culture comme moteur économique, dans un secteur où le travail ne peut être délocalisé dans les pays émergents. Les Chinois ne peuvent pas faire du Michel Tremblay, du Gilles Vigneault, des spectacles du Cirque du Soleil ou des pièces de Robert Lepage.

Il y aura enfin une politique de citoyenneté propre au Québec. On sous-estime souvent la force de cela quand vient le temps d'intégrer les nouveaux arrivants. Dans un Québec souverain, il n'y aura pas de malentendu. Les gens vont arriver dans un pays francophone et ils seront invités à faire partie de la nation québécoise et pas d'une autre. Au fil du temps, ils deviendront des Québécoises ou des Québécois à part entière et ils recevront un passeport québécois.

Il faudra aussi se poser la question de la place des régions dans un Québec souverain. C'est une question qui deviendra drôlement importante parce que si nous décidions de ne rien changer de la structure actuelle du Québec nous aurions un pays excessivement centralisé, comme l'a souvent fait remarquer Jacques Parizeau. La politique nationale verra donc à répondre à la nécessité de développer des structures qui répondront aux besoins économiques et politiques des régions.

Il y aura une politique étrangère, de défense et de coopération internationale. Nous pourrons avoir une politique cohérente de recherche et d'innovation et même dans les matières qui sont déjà de la compétence du Québec, la souveraineté changera la donne. Notre fiscalité sera conforme à nos choix collectifs, ce qui n'est pas le cas actuellement en matière de garderies ou d'études postsecondaires, par exemple.

□ ***Quand vous parlez de besoins politiques des régions, vous pensez sans doute à une nouvelle forme de représentativité.***

Tout à fait ! Il y a moins de monde en Gaspésie que dans les circonscriptions de Montréal. C'est un fait. Est-ce à dire que nous nous contenterons dans ce contexte du seul critère de la représentation en fonction de la population? Si cela était le seul critère, nous pourrions alors aller jusqu'à créer une circonscription qui comprendrait toute la Gaspésie et le Bas-Saint-Laurent. Cet immense territoire équivaudrait à deux circonscriptions de Montréal. Sur le plan pratique, cela n'aurait aucun sens. Sur le plan de la vie démocratique, l'élu responsable d'un aussi grand territoire ne pourrait répondre aux exigences de la vie démocratique. Donc, il faudra songer à d'autres mécanismes de représentation, par exemple à un scrutin dont une composante serait à la proportionnelle et une qui tiendrait compte des régions. Nous pourrions en profiter pour établir des mécanismes qui nous mèneraient à la parité hommes-femmes[49]. Il pourrait aussi y avoir une Chambre des régions qui aurait un droit de veto sur certaines décisions. Nous devrons avoir des gouvernements régionaux. Une chose est d'ores et déjà certaine, une région comme la Gaspésie, par exemple, sera beaucoup mieux représentée dans un Québec souverain que dans le Canada, où son poids politique est de moins de 1 %.

Ce qui m'apparaît crucial, c'est que nous nous donnions de la souplesse. Pas question d'adopter une Constitution trop rigide, qui doit durer mille ans… L'avantage du Québec, ce sera sa souplesse.

☐ *Comment concilier les besoins économiques des régions et une politique véritablement nationale ?*

Il faudra que l'État central garde un pouvoir de coordination parce que nous ne pouvons additionner les volontés

49 Si, par exemple, l'Assemblée nationale comptait 130 sièges, la part du scrutin à la proportionnelle pourrait concerner 50 sièges et la part avec une assise territoriale 80. Si de ces 80 élus, il y avait 50 hommes et 30 femmes, les partis devraient inscrire en haut de leurs listes pour la proportionnelle 35 candidates, ce qui assurerait la parité.

de chacune des régions et dire qu'elles constituent une politique nationale. Si, par exemple, chaque région décide de construire des barrages, il est fort probable que nous aurons trop de barrages au Québec. Si chaque région décide de se doter d'une aluminerie, le Québec aura trop d'alumineries. Donc, il est nécessaire de se donner une politique nationale de coordination, sans exclure pour autant une autonomie décisionnelle importante pour les régions.

☐ *Quelle forme de gouvernement aurait un Québec souverain ?*

Le Québec serait très clairement une république et non plus une monarchie. Je parlais tantôt de la place des régions. À cet égard, une organisation républicaine peut prendre différentes formes. Elle peut avoir des États comme aux États-Unis et former une fédération. Elle peut se subdiviser en *landers* comme en Allemagne ou en départements comme en France. Ce sera à nous de déterminer le modèle le plus adéquat pour le Québec. Mais ce ne sera certainement pas une monarchie, un modèle que je trouve personnellement aberrant.

☐ *Quelles sont les institutions fédérales actuelles qui seraient écartées de la structure gouvernementale québécoise ?*

Justement, toutes les institutions qui touchent à la monarchie comme, par exemple, le poste de gouverneur général. Nous n'aurons pas de Sénat non plus. Je ne dis pas que nous n'aurons pas de deuxième Chambre. Ce sera à nous de décider.

Par ailleurs, nous ne vivrons pas comme actuellement avec des ministères en double : deux ministères de la Justice, de l'Environnement, de la Santé, du Développement régional, des Finances, deux Conseils du Trésor. C'est plein de doublons et cela nous coûte des milliards, sans parler de l'inefficacité.

Nous n'aurons qu'une déclaration de revenus à remplir et une seule fiscalité.

Nous reproduirons, par ailleurs, chez nous, certains organismes fédéraux actuels. Nous n'aurons pas de CRTC[50], mais nous aurons un CQRT, qui aura des objectifs différents de l'organisme fédéral. Bref, il y aura peu de nouvelles institutions, sinon un corps diplomatique avec un réseau d'ambassades un peu partout dans le monde. Inversement, il va sans dire, des ambassades s'installeront à Québec.

☐ ***Comme c'est le cas dans les démocraties, il faudra, au Québec, une politique de développement humain.***

Nous avons déjà une telle politique, mais elle est freinée et parfois contrecarrée par Ottawa. Ce ne sera plus le cas. Alors qu'il y avait un consensus depuis 1996 au Québec pour la création d'un régime québécois de congés parentaux, cela nous a pris 10 ans pour y arriver finalement. Les garderies, nous les avons, mais nous sommes obligés de laisser 250 millions sur la table à cause de la fiscalité fédérale qui est conçue en fonction de la réalité canadienne.

De même, au Québec, un de nos plus grands défis est de faire face à une pénurie de main-d'œuvre spécialisée. Autrefois, quand je faisais le tour du Québec, on me parlait beaucoup de l'assurance-emploi et de ses insuffisances. Aujourd'hui, on me parle de pénurie de main-d'œuvre. Pourtant, le régime d'assurance-emploi fonctionne encore à partir de paramètres du siècle passé. Dans un Québec souverain, nous allons pouvoir utiliser notre programme d'assurance-emploi pour former notre monde. Actuellement, un travailleur qui gagne 30 000 dollars par année et qui perd son emploi reçoit 55 % de son salaire, soit l'équivalent de 16 000 dollars ou à peu près, dépendamment des régions. Il ne peut pas étudier avec ça parce qu'il a

---

50 Conseil de la radiodiffusion et des télécommunications canadiennes.

besoin de cet argent pour nourrir sa famille. Il aime souvent mieux prendre le premier emploi venu plutôt que de suivre une formation. Dans un Québec souverain, nous pourrions fort bien décider qu'un travailleur perdant son emploi pourrait choisir de suivre une formation spécialisée en demande dans sa région et, en échange, il pourra toucher des prestations avantageuses. Avec une telle politique, le Québec souverain pourra s'enrichir considérablement et les Québécois de même.

Je crois en l'idée généreuse d'un bon filet de sécurité sociale parce que je suis convaincu que c'est intelligent d'un point de vue économique.

Je crois d'ailleurs qu'à cet égard le Québec est la société la plus avancée en Amérique du Nord, notamment en ce qui concerne la politique familiale. Il nous manque les outils pour compléter et rendre plus efficace cette politique.

☐ ***Vous avez longuement réfléchi à la question de la monnaie d'un Québec souverain. En prenant en considération une certaine instabilité de la monnaie canadienne, quel choix fera le Québec souverain le moment venu ?***

Dans un premier temps, au cours de la période de transition, nous conserverons la monnaie canadienne. À plus long terme, je crois sincèrement que nous irons tous vers une monnaie continentale, comme c'est le cas en Europe. Je sais que de ce côté-ci de l'Atlantique les États-Unis sont très réfractaires à cette idée, du moins jusqu'à ce qu'ils réalisent que c'est dans leur intérêt de la mettre en application. Combien faudra-t-il de temps avant qu'ils ne bougent ? Vingt ans, trente ans ou cinquante ans ? Même si c'est cinquante ans, cela équivaut à une poussière dans le cours de l'Histoire. Je suis convaincu que nous allons vers l'émergence de monnaies continentales.

À moins que ce ne soit l'idée du panier de devises[51] qui prenne le dessus sur l'idée des monnaies continentales.

L'important, c'est qu'avec la souveraineté nous acquérons la capacité de décider nous-mêmes de ce qui est le mieux pour notre nation.

Une chose est certaine, actuellement le Québec n'a pas le choix : c'est le dollar canadien. Mais un Québec souverain pourra choisir ce qui est le plus conforme à ses intérêts, soit le dollar canadien, une éventuelle monnaie commune, le panier de devises, le dollar américain ou sa propre monnaie. L'important, c'est qu'avec la souveraineté nous acquérons la capacité de décider nous-mêmes de ce qui est le mieux pour notre nation.

□ ***Il serait possible de bâtir une politique monétaire autour de ce panier de devises que vous évoquez ?***

J'ai beaucoup réfléchi à la question monétaire, mais je ne suis pas un expert. Pour le Québec, il va sans dire qu'au départ, comme je l'ai dit, c'est-à-dire au jour un de l'indépendance, nous maintiendrions la monnaie canadienne. Ensuite, nous ferions en sorte que soit créé – et cela fait longtemps que le Bloc le propose – un Institut monétaire des Amériques qui examinerait la situation en tenant compte de l'ALÉNA,

51 Une devise créée à partir de plusieurs monnaies nationales. La pondération du panier de devises pourrait être établie en fonction de la part des partenaires commerciaux du Québec dans l'échange extérieur total. Suivant cette théorie, le panier de devises du Québec serait composé du dollar CAN, du dollar É-U, et de l'euro. Dans l'élaboration de ce régime de change, le Québec pourrait s'inspirer de l'instrument de réserve international créé par le FMI, le Droit de tirage spécial (DTS), basé sur un panier de quatre grandes devises (dollar É-U, l'euro, la livre sterling et le yen). On pourrait aussi proposer d'intégrer dans ce panier de monnaies les « crédits d'émission » utilisés dans les différents marchés du carbone.

du Mercosur[52], du Pacte andin[53] et du Mexique. Cet Institut monétaire, que nous pourrions installer à Montréal, pourrait devenir avec les années une référence mondiale d'expertise sur les questions monétaires, ce qui contribuerait à renforcer la vocation financière de notre métropole.

Cet Institut monétaire, que nous pourrions installer à Montréal, pourrait devenir avec les années une référence mondiale d'expertise sur les questions monétaires, ce qui contribuerait à renforcer la vocation financière de notre métropole.

☐ ***Il faudra sans doute beaucoup de temps avant que cet Institut monétaire n'en arrive à des conclusions solides.***

C'est de cette façon que les Européens ont commencé. Ils ont étudié la question monétaire pour en arriver au serpent monétaire[54]

52 Le Mercosur en espagnol ou Mercosul en portugais (1re langue du Mercosur) désigne la communauté économique des pays de l'Amérique du Sud. Le terme signifie Marché commun du Sud. Il est né le 26 mars 1991 avec la signature du traité d'Asunción par le Brésil, l'Argentine, le Paraguay et l'Uruguay. C'est le troisième marché intégré au monde après l'Union européenne et l'ALÉNA.

53 Communauté andine (CAN). Elle a succédé en 1996 au Pacte andin, consécutif à l'accord de Carthagène, regroupant la Bolivie, la Colombie, l'Équateur, le Pérou et le Venezuela. Elle comporte un organisme de crédit : la Corporation andine de développement *(Corporación Andina de Fomento)*. Le 22 avril 2006, le Venezuela a annoncé sa décision de dénoncer l'accord de Carthagène et de se retirer de la Communauté pour adhérer exclusivement au Mercosur. La raison invoquée est la signature d'accords de libre-échange avec les États-Unis par la Colombie et le Pérou.

54 Le serpent monétaire européen (1972-1978) fut un dispositif économique qui limitait les fluctuations de taux de change entre les pays membres de l'Union européenne. Pour chaque monnaie, un seuil d'intervention à la vente et un seuil d'intervention à l'achat, en fonction du taux de change par rapport à chacune des autres monnaies, étaient définis. Ainsi, une monnaie ne pouvait pas fluctuer par rapport à une autre de plus ou moins 2,25 % autour de sa parité bilatérale.

et finalement à l'euro[55]. Mais, pour nous, peu importe que nous adoptions le dollar américain, le dollar canadien ou une autre monnaie, nous ne pouvons continuer à dire que pour que notre économie fonctionne bien, pour que nous continuions à exporter, il faut que la monnaie soit basse. J'appelle cela jouer au yo-yo. Il est vrai, lorsque la monnaie est basse, que les exportations croissent et que les revenus augmentent. Mais le dollar peut aussi monter brutalement, ce qui fait que nous risquons de nous retrouver Gros-Jean comme devant. Et, actuellement, le prix du pétrole joue beaucoup sur la valeur du dollar canadien. S'il atteint les 200 dollars le baril, le dollar canadien sera beaucoup trop haut par rapport à la véritable valeur de notre économie. Cela risque de tuer nos entreprises manufacturières.

Ce qu'il faut faire pour éviter ce piège, c'est augmenter la productivité. Les équipements dans le domaine des pâtes et papiers et des alumineries ont été modernisés dans les années 1980. Le jour où elles se sont modernisées, du coup elles sont devenues plus concurrentielles et plus vertes. Mais même si nous nous modernisons et que nous augmentons notre productivité, nous sommes à la merci du dollar canadien. Si, dans cinq ans, ce dollar vaut 1,50 dollar américain, nos exportateurs souffriront beaucoup. Nous ne pourrons pas y faire grand-chose sur le plan monétaire et nous serons encore à la merci d'Ottawa pour ce qui est de la politique industrielle, comme ce fut le cas pour la forêt. Comme je vous le disais, ne pas faire la souveraineté est un pari très risqué. Cela équivaut à remettre notre avenir entre les mains du Canada.

---

55 L'euro est la devise officielle de l'ensemble de l'Union européenne et la monnaie unique commune à seize de ses États membres qui forment la zone euro. Mis en circulation le 1er janvier 2002 sous sa forme fiduciaire, mais en usage dès 1999, il succédait à l'*European Currency Unit* (ECU), soit « l'unité de compte européenne » mise en service en 1979.

☐ ***Je me souviens que certains Canadiens affirmaient il n'y a pas si longtemps qu'ils ne laisseront jamais le Québec souverain utiliser le dollar canadien.***

Il est vrai qu'il y a quelques années, certains ténors fédéralistes utilisaient cet argument démagogique. Mais je n'entends plus ce genre de remarque aujourd'hui, du moins très rarement. Lorsqu'on me sert cet argument, je sors un billet de vingt dollars et je demande à mon interlocuteur de m'affirmer que les numéros sur ce billet ne sont pas valables : « Comment allez-vous savoir que ce billet de vingt dollars n'est plus bon ? Vous allez faire comment ? » La pire chose qui puisse arriver au dollar canadien au moment de l'indépendance du Québec serait que nous décidions de prendre l'ensemble de sa masse monétaire au Québec pour la changer en dollars américains. Vous allez voir qu'ils ne trouveront pas cela comique. Quand je leur présente les choses sous cet angle, ils me disent : « Non ! Non ! Ne faites pas cela ! » Nous serons responsables en la matière et le Canada aussi. Pourquoi ? Parce que ce sera dans notre intérêt mutuel.

☐ ***Outre une politique monétaire, le Québec souverain devra avoir une politique étrangère.***

À cet égard, nous serions prêts dès maintenant ! La politique étrangère du Québec était bien présente dans notre discours de campagne en 2004. Jacques Parizeau avait d'ailleurs dit à l'époque que c'était la première fois qu'il entendait un énoncé aussi complet sur la politique étrangère du Québec. Les grandes lignes de cette politique n'ont pas beaucoup changé depuis ce temps et, en fait, comme je l'affirmais à l'époque, la politique étrangère d'un pays est en continuité avec sa politique intérieure. Les gens veulent retrouver les valeurs qu'ils défendent dans la politique étrangère de leur pays. Par exemple, le Québec a développé un modèle de concertation sociale et il sera tout naturel pour nous d'agir de la sorte sur la scène internationale, notamment en misant sur le multilatéralisme.

J'ai parlé de la culture un peu plus tôt. La diversité culturelle – la capacité du Québec de soutenir sa culture – serait sans doute un des axes de notre politique étrangère.

De même, les politiques de défense et de coopération internationale sont normalement définies à la suite de la politique étrangère. Dans un Québec souverain, nous allons équilibrer davantage le poids de l'une et de l'autre. Actuellement, le Canada consacre cinq fois plus d'argent à la défense qu'à la coopération internationale. Dans un Québec souverain, nous pourrons assez facilement ramener cette proportion de trois à un et faire en sorte de consacrer 0,7 % de notre PIB à l'aide internationale, en accord avec les objectifs de l'ONU.

Aujourd'hui, le Bloc Québécois possède l'expertise nécessaire pour diriger les affaires étrangères d'un pays souverain, qu'il s'agisse de politiques internationales, monétaires, du G20, de Copenhague... Nous sommes prêts et au Parti Québécois aussi, il y a des gens très compétents en matière de politique internationale. Nous n'avons qu'à penser à Louise Beaudoin[56]. Il y a aussi bien des Québécois qui travaillent au sein de la diplomatie canadienne et qui ne demanderaient pas mieux que de mettre leur expertise au service du Québec. Sans parler des Québécois qui travaillent à l'ACDI ou dans les ONG internationales.

Michael Ignatieff a beau se présenter comme une solution de rechange aux conservateurs, il est moins avancé que le Bloc Québécois lorsqu'il s'agit de définir sa politique étrangère. Il manœuvre beaucoup en fonction des votes que telle

56 Louise Beaudoin, députée PQ-Rosemont depuis décembre 2008. Ministre sous le gouvernement du PQ de 1994 à 2003, elle a dirigé plusieurs ministères, dont les Relations internationales et celui de la Culture et des Communications.

ou telle position pourrait lui rapporter. Le Bloc a toujours parlé plus clairement dans ce domaine et les autres partis le reconnaissent.

Joe Clark était venu me voir après un débat sur l'Irak. Il m'avait dit : « Je ne savais pas que tu étais si intéressé à la politique étrangère ! » Évidemment que nous sommes intéressés. Si nous voulons former un pays, ce n'est pas pour gérer les hôpitaux ; nous le faisons déjà !

Et depuis vingt ans, le Bloc Québécois maintient des liens assidus auprès des ambassadeurs à Ottawa. Francine Lalonde[57] fait un travail extraordinaire à ce chapitre. Nous avons des contacts partout dans le monde.

☐ ***Comment voyez-vous la place du Québec dans le monde? Croyez-vous que le Québec a tout pour être un pont entre l'Amérique et l'Europe ?***

Oui, mais nous ne serions pas les seuls à jouer ce rôle. Nous pouvons dire que le Mexique joue un peu ce rôle aussi. Non seulement le Mexique est-il situé en Amérique du Nord, mais il a d'excellents liens avec ses voisins d'Amérique centrale et du Sud et il a des liens avec l'Espagne et donc avec l'Union européenne. Il a même signé un traité de libre-échange avec l'Union européenne, comme je l'ai mentionné. Il fait donc partie de trois grandes zones commerciales.

Au Québec, nous avons une façon de faire et de vivre qui est plus européenne tout en ayant un sens de l'organisation à l'américaine. Nous occupons une position originale et en plus nous parlons le français. Nous avons des liens privilégiés non seulement avec l'Europe, mais aussi avec le Canada, les États-Unis et la francophonie. De plus, notre latinité nous aide beaucoup à nouer des contacts avec les Latino-Américains.

---

57 Francine Lalonde, députée BQ-La Pointe-de-l'Île depuis 1993, porte-parole en matière d'affaires étrangères.

Nous avons vu avec l'ALÉNA – qui nous a permis de sortir du seul marché canadien – que le Québec était plutôt doué pour commercer dans le monde. Nous pourrions donc effectivement jouer un rôle, servir de lien entre deux ensembles continentaux : les Amériques et l'Europe.

Au Québec, nous avons une façon de faire et de vivre qui est plus européenne tout en ayant un sens de l'organisation à l'américaine. Nous occupons une position originale et en plus nous parlons le français.

☐ ***Il me semble que nous pourrions aussi être une terre d'accueil pour les entreprises étrangères, une sorte de plaque tournante pour la pénétration des marchés canadien et américain.***

Les entreprises européennes ne s'y trompent pas, elles qui concentrent déjà une part importante de leurs investissements canadiens au Québec. Je pense que notre attrait est d'ordre culturel dans le sens large du terme. Les Européens se sentent à l'aise chez nous et, en même temps, ils ont conscience d'être en Amérique du Nord.

Ce qui est vrai pour le commerce l'est également pour les autres aspects des relations internationales. Nous avons tout ce qu'il faut pour participer et contribuer aux grandes organisations internationales, qu'il s'agisse de l'ONU ou de l'UNESCO. Notre pays, le Québec, aura la taille des pays scandinaves avec une certaine originalité américaine tout en ayant pour langue commune le français. Nous avons une certaine conception de la vie qui est plus européenne qu'américaine tout en demeurant très nord-américaine. Je pense qu'en raison de toutes ces caractéristiques nous aurions un rôle original à jouer dans le monde.

Le Canada a déjà eu un rôle original à jouer dans le monde avec sa longue participation aux Casques bleus. Il se différenciait des États-Unis à cet égard. Le Canada n'a jamais voulu dominer le monde et même s'il l'avait voulu, il n'aurait pas eu les moyens de ses ambitions. En raison de son passé, le Québec pourrait avoir un rôle comparable sur la planète. Nous sommes déjà bien connus dans certains coins en Afrique et en Amérique latine qui ont été autrefois visités par nos missionnaires.

☐ ***Le Québec ferait donc les choses différemment du Canada sur la scène internationale.***

Cela dépend. Nous serions souvent sur la même longueur d'onde, ce qui nous permettrait d'unir nos voix pour défendre le même point de vue. Le Québec aura plus de facilité pour convaincre certains pays – en Afrique francophone par exemple – et le Canada pour en convaincre d'autres. Quand nous serons d'accord, nous serons plus forts. Par exemple, si le Congrès américain a des velléités protectionnistes, le Canada et le Québec souverain voudront empêcher cela. Le Québec aura beaucoup de poids auprès des congressistes de la Nouvelle-Angleterre. Nous aurons des contacts plus suivis, plus serrés.

Sur d'autres questions, nous aurons des points de vue tout à fait opposés. Prenez l'exemple des changements climatiques. C'est une question fondamentale où les intérêts du Québec et du Canada sont complètement divergents. Le Québec gagnerait beaucoup à avoir sa propre politique étrangère sur cette question. D'abord, nous serions un peu plus fiers de notre politique et, surtout, cela nous rapporterait des bénéfices importants économiquement. Nous pourrions déjà participer au marché mondial du carbone.

Et puis, il y a les questions de paix et de guerre qui sont carrément des questions de vie ou de mort. Prenez la guerre en Irak. En 2003, les pressions de l'*establishment* canadien étaient très fortes pour que le Canada se joigne aux États-Unis.

Stephen Harper, qui était chef de l'Opposition officielle, poussait dans cette direction. Paul Martin aussi. Michael Ignatieff était en faveur de la guerre en Irak à l'époque. Mais il y a des centaines de milliers de Québécois qui sont descendus dans la rue pour s'y opposer. Jean Chrétien savait qu'il y aurait un lourd prix à payer politiquement s'il décidait d'engager le Canada aux côtés des Américains, parce que le Bloc Québécois était là.

Sans cette opposition, il n'y aurait eu aucun prix politique à payer puisque ses adversaires étaient en faveur de la guerre. Exactement comme lors de la conscription, où les deux principaux partis étaient d'accord et alors que le Bloc populaire ne pesait pas très lourd. Si nous étions devant le même dilemme aujourd'hui, avec Stephen Harper comme premier ministre et Michael Ignatieff comme chef de l'opposition, il serait probable que le Canada participe à une telle guerre. Il y aurait alors des centaines de jeunes Québécois qui iraient mourir dans une guerre dont nous ne voulons absolument pas. Dans l'avenir, le monde étant ce qu'il est, il y aura d'autres guerres comme celle d'Irak. Avec le poids démographique et politique du Québec qui diminue, nous aurons de moins en moins notre mot à dire.

☐ ***Dans le même ordre d'idées, je pense que nous n'avons pas le choix non plus de nous battre aujourd'hui contre l'idéologie obscurantiste des talibans.***

Nous étions horrifiés par les agissements des talibans avant même les attentats du 11 septembre 2001. Après les attentats, tous les pays de l'OTAN étaient d'accord pour intervenir. Nous l'étions nous aussi. C'est dans ce sens que je dis que je suis pacifique, mais non pacifiste. Il y a des situations où il faut faire usage de la force. Cependant, nous pourrions participer autrement que par des missions de combat militaire. Et nos interventions devraient se faire à partir de grands principes de politique étrangère. Jamais nous ne participerons à une opération internationale si celle-ci ne se fait pas dans le cadre des Nations unies ou de l'OTAN.

☐ ***Et qu'en serait-il, justement, de notre politique de la défense ?***

Il faudra réfléchir sur le type d'armée dont nous aurons besoin. Lors de la campagne électorale de 2004, j'ai abordé cette question. Je faisais remarquer que le Canada fonctionnait à l'envers dans ce dossier. Habituellement, un pays décide de sa politique étrangère et élabore sa politique de défense en conséquence. Dans le Canada de Stephen Harper, il n'y a pas de politique étrangère. Il y a seulement une politique de la défense qui consiste surtout à acheter et à acheter toujours plus d'équipement. Nous nous retrouvons aujourd'hui sans politique étrangère définie, mais avec des dépenses prévues de 500 milliards pour la défense au cours des vingt prochaines années. Quel est le résultat de ce non-sens ? Nous nous retrouvons en fin de compte avec des hélicoptères qui ne montent pas et des sous-marins qui ont d'énormes difficultés à descendre ! Et surtout, nous allons dépenser des centaines de milliards sans avoir réfléchi aux retombées industrielles, ni à la pertinence future de ces équipements.

Le Québec souverain devra d'abord et avant tout se doter d'une politique étrangère et d'une armée qui répondra aux exigences de cette politique. Car nous aurons besoin d'une armée au Québec. Ceux qui disent que le Québec n'aura pas besoin d'une armée disent que jamais au grand jamais nous ne serons menacés. Malheureusement, il faut parfois assumer ses devoirs internationaux. Il a bien fallu se mobiliser pour vaincre Hitler. Avions-nous le choix ? Nous n'avions pas le choix. Aurait-il fallu intervenir au Rwanda ? Oui et l'indifférence internationale a été une tragédie. Un Québec souverain ne sera pas à l'abri des soubresauts de l'Histoire. Il faudra être prêt à prendre nos responsabilités.

Une fois cela acquis, nous pourrons faire des choix. D'abord, il me semble clair que le Québec fera partie de l'OTAN et qu'il assumera ses responsabilités au sein du NORAD. Nous maintiendrons la base militaire de Bagotville, ce qui nous donnera la capacité aérienne de protéger notre territoire et de participer à des missions internationales. Cela nous donnera aussi une capacité de participer à la conception et à la fabrication de matériel aéronautique. Ce sera une façon de soutenir notre industrie aérospatiale et la région du Saguenay.

Pour ce qui est de la marine, le Québec n'aura pas les besoins du Canada, un pays qui doit protéger trois façades maritimes. Mais nous pourrions, en dépensant beaucoup moins, avoir une garde côtière beaucoup plus importante avec une seconde base à Gaspé, en plus de celle de Québec. Cela donnerait une impulsion extraordinaire à Gaspé qui verrait des dizaines de jeunes familles s'y installer, remplir des écoles, des commerces, etc. Rimouski serait un centre scientifique connexe et nous ferions fabriquer et réparer nos bateaux dans nos chantiers maritimes à Matane, aux Méchins ou à Lévis.

Notre réflexion doit donc être fonction de notre politique étrangère, de la nature de nos participations futures et d'une politique de développement industriel et de notre territoire.

☐ ***Prenons un autre exemple concret. Qu'est-ce qu'un Québec souverain aurait fait de différent lors du séisme en Haïti ?***

Une partie de l'intervention de l'armée canadienne en Haïti a été fort bien menée. Nous avons d'ailleurs félicité l'armée pour cela. J'estime cependant que les Canadiens se sont retirés trop rapidement. Nous sommes pourtant en présence d'une situation générale épouvantable. Sans parler du séisme, vous n'avez qu'à survoler le territoire pour constater sa déforestation complète.

Le Canada aurait dû également trouver une façon d'accélérer la remise des visas aux Haïtiens qui, pour une raison ou une autre, avaient à venir au Canada ou au Québec. Il s'agit ici cependant d'une responsabilité qui incombait non pas à l'armée, mais bien au gouvernement du Canada. C'était une responsabilité d'ordre politique. Un Québec souverain aurait agi avec célérité à ces deux niveaux, du moins je le pense. Ne serait-ce que parce qu'il y a beaucoup de Québécois haïtiens et que la pression aurait été plus forte pour qu'il y ait de l'action.

Un Québec souverain se serait assuré également, de concert avec la France, d'une plus grande présence française au chapitre des secours. Vous admettrez que les secours sont beaucoup plus efficaces lorsqu'ils sont donnés dans la langue du pays. Les Américains étaient on ne peut plus présents, et je ne crois pas que cette présence était des plus désintéressées.

☐ ***Pensez-vous que dans un Québec souverain nous aurions une responsabilité particulière vis-à-vis d'Haïti ?***

Nous avons des solidarités avec la nation acadienne, avec les Franco-canadiens, avec les Franco-américains et avec le seul autre pays francophone des trois Amériques, c'est-à-dire Haïti. D'autant plus qu'il y a une diaspora chez nous. Les Haïtiens nous ont aidés au cours de la Révolution tranquille parce que plusieurs ont fui lorsque François Duvalier s'est emparé du pouvoir. C'est toute l'intelligentsia qui a fui Haïti. Lisez *The Comedians* de Graham Greene. Vous comprendrez dans ce roman, publié en 1966, ce qui s'est passé à l'époque. Cela a eu pour conséquences chez nous que beaucoup de médecins et d'économistes haïtiens se sont installés au Québec et nous ont aidés. Sans parler de la fierté que nous éprouvons lorsqu'un écrivain comme Dany Laferrière triomphe partout dans la francophonie.

Oui, nous avons une responsabilité spéciale envers ce peuple francophone qui a beaucoup enrichi la nation québécoise. Haïti devrait certainement être le principal bénéficiaire de l'aide internationale d'un Québec souverain.

Oui, nous avons une responsabilité spéciale envers ce peuple francophone qui a beaucoup enrichi la nation québécoise. Haïti devrait certainement être le principal bénéficiaire de l'aide internationale d'un Québec souverain.

Mais plus largement, lorsque nous parlons de reconstruction, nous avions lancé une idée en 2005, lors de l'adoption de notre programme baptisé « Imaginer le Québec souverain ». Nous proposions de créer à Saint-Jean une force de maintien de la paix et de reconstruction intégrée. Pour ce faire, le Québec créerait un Institut québécois d'aide à la reconstruction, composé d'experts gouvernementaux et du secteur privé, avec l'expertise développée par des militaires québécois. Le Québec souverain pourrait fort bien devenir un centre d'expertise mondial en matière de reconstruction après des catastrophes naturelles ou des guerres. Ainsi, nous pourrions être très utiles autrement qu'en participant à des missions de combat comme c'est le cas actuellement en Afghanistan.

☐ ***Est-ce que vous considérez important d'atteindre l'objectif de l'ONU qui consiste à consacrer 0,7 % du PIB d'un pays à l'aide internationale ?***

Absolument. Dans la mesure où cela est bien fait, que cela passe par des canaux démocratiques ou des ONG crédibles. La chanteuse béninoise et ambassadrice itinérante de l'UNICEF,

Angélique Kidjo, disait avec justesse que l'aide internationale, c'était trop souvent les pauvres des pays riches qui donnaient aux riches des pays pauvres. Il faut donc que nous ayons toutes les garanties que les ressources se rendent aux bonnes personnes. C'est dur d'expliquer à nos gens « pourquoi nous donnons ailleurs alors qu'il y a des pauvres ici ». La réponse est que nous avons, en tant qu'êtres humains, un devoir de solidarité. Ceux qui ne sont pas sensibles à cela doivent savoir que c'est aussi une question d'intérêt national bien compris. La pauvreté, cela finit toujours par coûter plus cher en matière de sécurité que ce que cela coûte de la combattre à la source. Et puis, un pays qui se développe et qui se donne peu à peu une classe moyenne, c'est un pays avec lequel nous serons en mesure de commercer. L'aide internationale, c'est de la solidarité humaine, mais c'est aussi orienté du côté des affaires. C'est cela que l'Europe a fait quand le Portugal est entré dans l'Union européenne avec l'Espagne, la Grèce et l'Irlande. Les pays de l'Union se sont créé de nouveaux marchés, tout en aidant ces peuples. C'est une situation gagnant-gagnant. Nous avons proposé la même chose lorsque nous avons rencontré Vicente Fox alors qu'il était président du Mexique. Nous voulions créer un Fonds de développement social et économique des Amériques. Les Mexicains aimaient beaucoup l'idée, mais le gouvernement canadien beaucoup moins.

☐ ***Dans ce même ordre d'idées, un Québec souverain jouera certainement un rôle important pour préserver la diversité culturelle à l'échelle planétaire.***

Le Québec a déjà fait preuve de leadership dans ce dossier. Ce sont Louise Beaudoin et le Québec qui ont été à l'avant-garde de ce combat, même avant que la France ne s'en mêle. Louise a développé un très bon réseau d'appuis en France. Au Bloc Québécois, Francine Lalonde a aussi été pour nous à l'étranger une ambassadrice de premier ordre. Maintenant, un Québec souverain sera bien plus à même de faire en sorte que la diversité culturelle soit appliquée. Il pourra même lancer – pourquoi pas – une offensive afin de protéger la diversité linguistique.

☐ ***Vous semblez sous-entendre que la question de la diversité culturelle n'est pas réglée.***

Non, elle n'est pas réglée, même si nous avons joué à fond notre rôle pour défendre cette diversité. Mais si le Québec était un membre à part entière de l'UNESCO, il aurait la possibilité de parler ouvertement de cette question. Des enjeux majeurs, comme celui du droit d'auteur par exemple, surgissent sans cesse. Il y aura un combat à l'échelle internationale autour du contenu des iPod. Or, le gouvernement canadien – qui parle pour le Québec à l'UNESCO et bien souvent sans lui demander son avis – est bien plus proche de la conception de la culture des Américains que de la nôtre. Pour lui, la culture est une entreprise commerciale comme les autres, un divertissement et non pas l'expression de toute une nation, non pas un moyen d'accès à l'universel. Donc, vous voyez bien que rien n'est réglé et que le Québec pourrait, s'il était souverain, jouer son rôle dans ce dossier bien mieux qu'il ne peut le faire actuellement.

☐ ***Vous dites implicitement que ce que le premier ministre Stephen Harper a fait pour le Québec à propos de l'UNESCO, c'est-à-dire garantir une présence permanente du Québec à la délégation canadienne de l'UNESCO, est un leurre ?***

Quand Jean Charest et Stephen Harper disent que le Québec se tient debout à l'UNESCO, ils ont tout à fait raison ; le Québec n'a pas le choix, il n'a pas de siège ! Le Québec à l'UNESCO peut se prononcer seulement s'il est d'accord avec les décisions du Canada. La seule chose qu'Ottawa a donnée au Québec dans cette affaire, c'est la permission de se tenir à côté de celui qui parle. Le Canada clame encore qu'il parle d'une seule voix à l'UNESCO. Voilà qui est très peu respectueux de la nation québécoise.

De deux choses l'une : soit le Canada est prêt à suivre le modèle belge et le Québec pourra s'exprimer au sein de quelques organisations internationales, soit le Canada parle d'une seule voix et qu'il cesse de faire croire le contraire aux Québécois et au reste du monde. Quant au gouvernement Charest, sa position est carrément pathétique sur cette question de l'UNESCO. Elle est indigne d'un gouvernement du Québec.

De deux choses l'une : soit le Canada est prêt à suivre le modèle belge et le Québec pourra s'exprimer au sein de quelques organisations internationales, soit le Canada parle d'une seule voix et qu'il cesse de faire croire le contraire aux Québécois et au reste du monde.

☐ ***Nous pourrions parler aussi du rôle que jouerait un Québec souverain au sein de l'Organisation mondiale du commerce. Je suppose que notre discours serait différent de celui du Canada.***

Nous serions un petit pays comme d'autres petits pays, comme la Suède ou même le Canada, qui ne pèse pas très lourd à côté de pays comme les États-Unis ou la Chine.

☐ ***Nous y serions donc un joueur bien mineur.***

On ne fera pas trembler le monde ! Mais ce sera mieux qu'en ce moment, alors que nous ne sommes pas un joueur du tout ! Nous ne sommes qu'une des dix provinces du Canada. Il vaut évidemment mieux être un pays. Prenez seulement l'exemple de la lutte aux changements climatiques. En ce moment, le Québec n'est pas un joueur sur la scène internationale. Si nous formions un pays, il y en aurait un de plus sur la planète qui pousserait pour des objectifs ambitieux.

Et souvent, il se forme des blocs, par exemple à l'OMC[58]. Sur certaines questions, nous pourrions nous allier à tel ou tel bloc. Je pense en particulier à l'Union européenne.

Nous insisterions sûrement, par exemple, pour que certains traités internationaux sur le droit du travail et les droits sociaux qui sont entre les mains de l'OIT[59] aient le même poids que ceux de l'OMC. Vous savez que le Canada n'a jamais signé les traités contre le travail forcé, pour le droit à la syndicalisation ou contre le travail des enfants. Bien des pays, notamment la Chine, nous remettent d'ailleurs cela sur le nez lorsque Ottawa se permet de les critiquer sur ces dossiers. Si ce n'était que de moi, le Québec signerait immédiatement ces traités s'il était souverain. D'ailleurs, je ne connais personne au sein des quatre partis politiques de l'Assemblée nationale qui ne signerait pas ces trois traités.

☐ ***Il y a sûrement des dossiers où le Québec serait isolé sur la scène internationale, même s'il parlait de sa propre voix au sein des grandes institutions transfrontalières.***

Peut-être que ça pourra arriver, mais pour l'instant, le Québec est régulièrement isolé et c'est dans le Canada que ça se passe !

---

58 L'Organisation mondiale du commerce, créée en janvier 1995, s'occupe des règles régissant le commerce international entre 153 pays membres. Bien que l'OMC ne soit pas une agence spécialisée de l'ONU, elle entretient des liens avec cette dernière.

59 L'Organisation internationale du travail (OIT) est l'agence tripartite de l'ONU qui rassemble gouvernements, employeurs et travailleurs de ses États membres dans une action commune pour promouvoir le travail décent à travers le monde.

Quant à un Québec souverain, il pourrait sans doute tenir bon au sein des divers blocs qui se font et se défont au sein des organisations internationales. L'avantage des forums multilatéraux comme l'OMC se trouve dans le fait que les règles sont les mêmes pour tous, peu importe que le pays soit énorme ou plus petit.

En ce moment, le seul dossier où nous sommes isolés, c'est celui de la gestion de l'offre[60]. Les pressions se font très fortes du côté de l'Union européenne et de bien des pays pour que nous cédions. Le Canada maintient le cap et si le Québec était souverain, nous serions deux pays plutôt qu'un seul à défendre cela.

Mais si pour une raison ou pour une autre nous devions céder quoi que ce soit, il y aurait moyen, avec les outils à la disposition d'un pays souverain, de nous revirer de bord.

Sur cette question aussi le Québec ne contrôle pas son destin tant qu'il fait partie du Canada. Tandis qu'avec la souveraineté, nous pourrions adopter une politique de souveraineté alimentaire, avec une politique de traçabilité des aliments, d'étiquetage des OGM, et d'autres mesures qui protégeraient notre agriculture. Moi, je partage la vision des agriculteurs du Québec à ce propos.

Les pays souverains protègent leur agriculture. Par exemple, aux États-Unis, en vertu du *National Security Act*, il y a des fermes qui sont irriguées gratuitement par l'armée américaine, au cas où les États-Unis seraient envahis par Cuba, par la Corée du Nord ou par le Canada. En échange, l'armée a obtenu un droit de passage sur les routes pour ses chars d'assaut. C'est une politique de subventions déguisées sous

60 La gestion de l'offre est le mécanisme par lequel les producteurs de lait, de volailles et d'œufs du Québec et du Canada ajustent leur production afin de répondre aux besoins des consommateurs d'ici. Ces productions sont principalement destinées au marché intérieur, non à l'exportation. Cette politique a été mise en place au Canada au début des années soixante-dix. Plusieurs pays utilisent cette façon de faire.

couvert de sécurité nationale. Il y a des routes en forêt qui sont entretenues ou ouvertes par l'armée américaine pour la même raison. Le blé est transporté gratuitement du Minnesota sur le fleuve Mississippi jusqu'au golfe du Mexique dans le but de parer à une éventuelle famine aux États-Unis. Imaginez ! Le gouvernement américain nous parle de famine, alors que tout le monde s'entend pour dire que les Américains ont un problème d'obésité ! Ce sont là des formes d'aide camouflée à l'agriculture américaine. Ne nous racontons pas d'histoires. Même à l'intérieur du Canada, nos producteurs agricoles québécois ne reçoivent que 10 % du total des subventions, alors que nous fournissons 20 % de l'effort financier.

Vous voyez bien que dans tous les cas de figure, il vaudrait mieux que nous soyons déjà un pays souverain. Sinon, il arrivera à d'autres secteurs de notre économie ce qui est arrivé à notre foresterie.

☐ ***Vous pensez à quel secteur quand vous dites ça ?***

Je pense bien sûr à notre secteur forestier, dont les entreprises ont été laissées à elles-mêmes. Le secteur des pêches aussi a vécu des crises très pénibles. Dans un Québec souverain, ce ne sera pas très difficile de faire mieux, de mettre en place une politique des pêches durable, prospère. Nous pourrons défendre les quotas de nos pêcheurs de pays à pays plutôt qu'autour d'un cabinet de ministres, où ce sont les intérêts partisans qui finissent par dicter les décisions.

☐ ***Est-ce que vous estimez que l'État doit soutenir les entreprises.***

L'État canadien le fait, mais cela n'aide pas souvent le Québec. Lorsque Ottawa verse 10 milliards de dollars à l'industrie automobile, ce n'est pas rien. C'est très clairement un soutien de l'État. Mais c'est choisir l'automobile à la place de la forêt.

C'est choisir en fonction d'intérêts qui ne sont pas ceux du Québec. Pourquoi, par exemple, Ottawa refuse-t-il de subventionner nos chantiers maritimes? Partout dans le monde, les États subventionnent les chantiers maritimes. Cela se fait aux Pays-Bas, en Corée du Sud. En Chine, la construction navale est une entreprise d'État.

Il faudra, bien sûr, que le Québec choisisse certains créneaux. Nous ne pouvons tout faire et nous ne pouvons tout concurrencer. La Suède a choisi certains créneaux et elle réussit très bien. Ici, par exemple, le textile est pratiquement disparu alors que le vêtement haut de gamme continue de se vendre. Les États-Unis ont décidé pour leur part que le prêt-à-porter fabriqué aux Caraïbes pouvait franchir leurs frontières franc de port, mais à la condition d'être fabriqué à partir de fibres textiles américaines. Cela a complètement relancé leur industrie textile. Ce n'était pas fou comme idée! Nous pourrions faire ce genre de chose. Mais nous ne le faisons pas actuellement parce qu'Ottawa mise tout sur l'industrie automobile et refuse, par exemple, de donner des garanties de prêts à l'industrie forestière du Québec.

☐ ***Parlons d'environnement. Est-ce qu'un Québec souverain ferait les choses différemment de ce qu'il fait actuellement?***

Je pense que les Québécois ne sont pas, par nature, plus environnementalistes que la moyenne des gens dans le monde. Il y a des groupes environnementalistes qui ont fait de sérieux efforts au Québec, qui ont touché l'opinion publique plus qu'ailleurs au Canada. Chaque nation a la politique de ses intérêts et les Québécois ont conscience que nous pouvons à la fois protéger notre environnement et prospérer. Et puis, il y a eu le film de Richard Desjardins sur la forêt boréale, le mouvement populaire contre le Suroît et l'affaire du Mont-Orford qui ont conscientisé les gens.

Ce qui nous différencie, c'est qu'en matière énergétique, la lutte aux changements climatiques nous est profitable, contrairement au Canada. Le pétrole appauvrit le Québec tandis qu'il enrichit le Canada. C'est la différence fondamentale et je le répète depuis des années.

Le chef de l'époque du Parti vert du Canada, Jim Harris, avait demandé aux Québécois qui avaient à cœur l'environnement de voter pour le Bloc Québécois aux élections de 2004. Cette année, en 2010, le chef adjoint du même parti, Jacques Rivard, s'est joint à notre équipe. Elizabeth May, la chef actuelle des verts, a déjà dit que Bernard Bigras[61] était le meilleur porte-parole en matière d'environnement aux Communes. Et l'ancien ministre de l'Environnement du gouvernement Chrétien, David Anderson, a déjà dit que j'étais le seul chef de parti aux Communes à avoir systématiquement défendu Kyoto. Tout cela est flatteur. Cela fait plaisir, mais en réalité c'est parce que nous sommes les seuls à pouvoir le faire. Les partis canadiens doivent compter avec le poids énorme de l'industrie pétrolière au Canada. Stéphane Dion, dans un moment de candeur, a dit qu'aucun ministre de l'Environnement ne pouvait faire le poids face à l'industrie pétrolière au Canada. Les politiques canadiennes – la politique étrangère, de l'environnement, industrielle, la fiscalité – sont conditionnées par cet état de fait.

Ce qui nous différencie, c'est qu'en matière énergétique, la lutte aux changements climatiques nous est profitable, contrairement au Canada. Le pétrole appauvrit le Québec tandis qu'il enrichit le Canada. C'est la différence fondamentale et je le répète depuis des années.

Au Québec, c'est le contraire. Nos importations de pétrole nous appauvrissent. À mesure que le prix du pétrole

61 Bernard Bigras, député BQ-Rosemont–La Petite-Patrie, depuis 1997.

augmente, notre déficit commercial se creuse. Donc, au Québec, diminuer notre consommation de pétrole, cela signifie diminuer nos émissions de gaz à effet de serre, mais aussi nous enrichir. Et il se trouve que nous sommes une puissance énergétique au Québec, d'énergie propre. Je faisais un clin d'œil aux élections de 2004 en parlant de l'énergie propre au Québec…

☐ ***Donc, vous avez commencé très tôt à parler d'indépendance énergétique ?***

Ce terme d'indépendance énergétique a été conçu par le Parti Québécois, ce qui est très intéressant pour un parti indépendantiste. Soit dit en passant, le Parti Québécois est très avancé là-dessus, bien plus que le gouvernement libéral. Mais nous, à l'époque, on défrichait. On parlait de réduire la dépendance du Québec au pétrole. On a compris cela dès le début des années 2000.

Je me souviens d'une fois où j'étais allé à Murdochville, en Gaspésie, alors que la mine de cuivre venait de fermer et que les gens étaient dans un réel désarroi. Je leur avais dit que l'avenir, c'était l'éolien. Ils m'ont regardé avec un drôle d'air à l'époque. J'avais rencontré André Caillé peu après, alors qu'il dirigeait Hydro, et lui aussi était sceptique à propos de l'éolien. Je me souviens d'avoir fait un discours là-dessus devant le groupe Force jeunesse. Nous avions élaboré un plan pour réduire notre dépendance au pétrole sur dix ans. Les résultats que cela donnait au point de vue économique étaient époustouflants. Les jeunes étaient littéralement fascinés par ce projet. Mais, à l'époque, le prix du baril de pétrole tournait autour des 40 dollars et nous parlions un peu dans le désert. En 2007, quand le prix a atteint les 150 dollars le baril, tout le monde a pris conscience de la précarité du Québec face à cela et nous ne parlions plus dans le désert.

Nous avons la chance d'avoir l'hydroélectricité au Québec et un potentiel éolien fabuleux. Nous avons tout ce qu'il faut pour devenir une des premières économies sans pétrole du monde. Si nous nous lancions dans ce grand chantier, comme dans le temps pour la nationalisation de l'électricité, nous pourrions du même coup devenir l'un des endroits les plus prospères en Amérique du Nord. Mais évidemment, c'est difficile quand nous faisons partie d'un pays dont les politiques reposent sur la production d'hydrocarbures.

Nous avons tout ce qu'il faut pour devenir une des premières économies sans pétrole du monde. Si nous nous lancions dans ce grand chantier, comme dans le temps pour la nationalisation de l'électricité, nous pourrions du même coup devenir l'un des endroits les plus prospères en Amérique du Nord.

Les entreprises qui ont modernisé leur équipement dans les années 1980 ont contribué à diminuer radicalement les émissions de gaz à effet de serre et leur consommation d'énergie, dont le mazout. C'est la réalité et cela nous est profitable. Or, si nous avions une véritable bourse du carbone, si nous nous inscrivions à cette bourse avec les mêmes cibles de réduction des gaz à effet de serre que celles que s'est fixées l'Europe, nous pourrions tout au moins participer à la bourse européenne. Cela ne nous empêcherait pas éventuellement de participer également à une bourse nord-américaine qui serait moins exigeante que celle de l'Europe. Mais si nous étions plus exigeants que le Canada à l'égard de nos cibles de réduction des GES, nous pourrions bien sûr participer à une bourse du carbone plus exigeante aussi et ce serait un formidable incitatif pour toutes les entreprises du Québec à réduire leurs émissions. Nous y gagnerions tous, aussi bien du point de vue de l'environnement que de l'économie.

Nous pourrions aller aussi du côté de la géothermie et de la biomasse. Il y a des villages complets en Allemagne qui fonctionnent essentiellement avec la transformation des excréments de vaches en électricité. En Allemagne, il y a des producteurs de lait qui convertissent les excréments de vaches en biomasse et revendent le surplus de l'électricité produite au réseau électrique allemand. Hydro-Québec pourrait jouer un rôle majeur dans ce genre d'initiatives. Ou encore, nous lancer dans la fabrication d'éthanol cellulosique, un biocarburant fait à partir de déchets forestiers ou agricoles. Je verrais très bien les travailleurs forestiers de l'Abitibi faire le plein de leur *pick-up* avec un carburant qu'ils auraient eux-mêmes contribué à fabriquer. Tout le monde y gagnerait au Québec.

Ensuite, aucun projet économique ne devrait avoir le feu vert dans un Québec souverain sans passer le test environnemental. Par la suite, nous pourrions accepter des projets de développement énergétique, qu'il s'agisse du gaz naturel ou du pétrole, dans la mesure où ils améliorent notre bilan énergétique. Car il faut se rappeler que nous sommes le deuxième endroit au monde, après la Norvège, le moins dépendant au pétrole.

Par contre, nous n'avons pas diminué notre dépendance au transport routier. Il faudrait développer le transport ferroviaire qui a pratiquement été abandonné au Canada.

□ ***Cela vous étonne qu'un pays aussi grand ait abandonné le transport par train ?***

Oui, cela est étonnant. Ottawa a considéré que l'écoumène[62] n'était pas assez concentré. Pourtant, le Bloc a fait venir un expert qui avait rétabli le train rapide entre Boston

62 Densité de la population sur un territoire donné.

et Washington. Cet expert affirmait que l'écoumène entre Québec et Montréal était suffisamment développé pour que le train soit rentable, même mieux qu'en Suisse. Donc, nous pourrions mettre en place un train rapide entre Québec et Montréal et, pourquoi pas, un TGV. Après tout, nous avons chez nous, avec Bombardier, un des deux plus grands fabricants de matériel ferroviaire de la planète. Profitons-en ! Nous avions proposé un TGV dans notre plateforme de 1993. En 2006, nous sommes revenus à la charge à Québec et certains ont voulu nous ridiculiser en parlant du « Duceppe Express ». Ceux-là ne rient plus aujourd'hui, mais nous ne sentons toujours aucune volonté d'aller de l'avant à Ottawa.

☐ ***Favorisez-vous l'exploitation pétrolière dans le golfe du Saint-Laurent ?***

Si nous trouvions du pétrole dans le golfe, nous pourrions l'exploiter à la condition que cela n'entraîne pas de problèmes environnementaux. C'est la première condition. Et nous avons vu ce qui s'est passé dans le golfe du Mexique. Nous ne voudrions pas que les Îles-de-la-Madeleine ou les côtes de la Gaspésie soient frappées par ce genre de désastre. Il faudra donc tirer les leçons et nous imposer les plus hautes normes.

Deuxièmement, si nous exploitons ce pétrole afin de nous assurer une sécurité énergétique tout en diminuant les émissions de gaz à effet de serre du Québec, puisque nous n'aurions plus à importer du pétrole dont le transport accroît les émissions, nous sortirions gagnant de cette entreprise. Nous aurions amélioré notre bilan énergétique.

Mais, pour le moment, la réalité est que nous sommes dans la pire des situations en ce qui a trait au gisement Old

Harry[63]. Pour explorer, nous avons besoin de nous entendre avec Ottawa. Pendant ce temps, Terre-Neuve peut tirer des ressources de ce gisement à partir de sa zone et non seulement exploiter cette ressource, mais le faire selon les normes d'Ottawa, des normes édictées par le gouvernement Harper. Ce n'est pas rassurant !

☐ ***La souveraineté donnerait-elle d'autres avantages au Québec sur le plan énergétique ? Qu'est-ce qui empêche le Québec de construire cette économie sans pétrole dont vous parlez ?***

Nous y viendrons, soyez-en sûr ! Tous les pays vont y venir ; ils y seront bien obligés puisque le pétrole est une ressource non renouvelable. Un jour ou l'autre, il n'y en aura tout simplement plus.

Mais le Québec a un avantage stratégique et nous pourrions y arriver plus rapidement et vendre notre expertise comme nous l'avons fait avec nos firmes d'ingénieurs à la suite de la nationalisation de l'électricité. Nous pourrions surtout éliminer ce déficit commercial qui va nous ruiner quand le prix d'un baril de pétrole atteindra les 150 ou même les 200 dollars.

Mais c'est impossible d'atteindre cet objectif avec les moyens limités d'une province qui est coincée dans un pays pétrolier. Je vous ai donné l'exemple des bourses du carbone. Je vous en donne un autre : les plans de relance de l'économie à la suite de la crise. Aux États-Unis, en Chine et en Europe, les plans de relance contenaient tous une bonne part de mesures visant à prendre le virage des énergies vertes. En Corée, c'était 80 % des mesures de relance. Dans le plan de relance du gouvernement canadien, c'était à peine 8 %. Si

---

63 Le gisement de pétrole et de gaz naturel Old Harry, en plein cœur du golfe du Saint-Laurent, se trouve entre Québec et Terre-Neuve-et-Labrador qui ne sont pas sur la même longueur d'onde en ce qui concerne l'exploitation éventuelle de ce gisement pouvant s'avérer deux fois plus important qu'Hibernia.

Ottawa nous avait donné, au Québec, 10 milliards de dollars comme à l'Ontario, mais pour prendre le virage d'une économie sans pétrole, nous aurions pu faire des pas de géant.

La souveraineté nous permettrait certainement d'utiliser l'énergie de façon beaucoup plus intelligente que nous le faisons en ce moment, qu'il s'agisse de transports en commun, de l'utilisation du cabotage sur le fleuve, d'une meilleure utilisation de nos métaux ou encore du transport ferroviaire. Nous croyons que les bonnes politiques environnementales peuvent rapporter. Il faut toujours garder à l'esprit que certaines formes d'énergie disparaîtront un jour et qu'il faudra les remplacer.

Comme je l'ai mentionné, notre déficit commercial est tributaire de notre dépendance au pétrole. Le déficit de notre balance commerciale correspond exactement à la hausse du prix du pétrole depuis trois ans. Et notre dépendance au pétrole au Québec est liée au transport. Si nous pouvions réduire nos coûts de transport, donc notre consommation de pétrole, nous réduirions du coup notre déficit commercial. Mais pour faire cela, il nous faut contrôler tous les leviers du pouvoir. Et comme vous le savez, lorsqu'il s'agit de transport par rail, de transport par voie fluviale et de moyens financiers, tout se passe à Ottawa. Pour avancer de façon décisive, il faut être totalement maître chez soi, avoir la pleine possession des politiques et des outils fiscaux qui sont l'apanage d'un État souverain.

Pour avancer de façon décisive, il faut être totalement maître chez soi, avoir la pleine possession des politiques et des outils fiscaux qui sont l'apanage d'un État souverain.

☐ ***Vous pouvez expliciter ce que vous dites ?***

Lorsque je regarde la décision historique prise par Ottawa de construite un port en eaux profondes à Halifax plutôt qu'à Gaspé, je me rends compte que cette décision n'apporte pas grand-chose au Québec. Non seulement nous pourrions construire un port en eaux profondes à Gaspé, mais nous pourrions déjà le faire davantage à Sept-Îles, si nous étions souverains. Cela nous permettrait de développer le cabotage sur le fleuve. Vous savez que le passage des immenses bateaux sur le fleuve détruit les berges. Avec nos ports en eaux profondes, nous pourrions y faire stopper ces immenses cargos et développer ce mode de transport maritime pour fournir le port de Montréal. Cette formule nous permettrait de moins endommager nos routes, de développer un transport perpendiculaire dans les régions – soit par camionnage, soit par train. Il y a un tas de choses du genre que nous pourrions faire si le Québec était souverain et qui seraient dans notre intérêt. Regardez les fleuves européens. Ils sont bien plus occupés qu'ici en termes de cabotage, qu'il s'agisse du Rhin, de la Seine ou de la Tamise. Le Saint-Laurent a tout ce qu'il faut. Mais à Ottawa ils ont décidé que c'était Halifax, point à la ligne.

☐ ***Par ailleurs, le Québec aurait grand besoin de s'assurer l'accès aux marchés mondiaux par la conclusion d'accords commerciaux. Il me semble que nous sommes en déficit à ce chapitre en ce moment ?***

Si nous sommes à la table des négociations sur la scène internationale, nous sommes bien sûr mieux représentés que si nous ne le sommes pas. Le Canada tente de conclure des accords ici et là, mais il le fait sans tenir compte de certains principes qui nous sont chers. Il a, par exemple, signé un accord de libre-échange avec la Colombie. C'est une erreur majeure.

La Colombie n'a pas démontré encore qu'elle respectait les droits de la personne. Ottawa a également conclu un accord de libre-échange avec le Panama. Mais Panama est un paradis fiscal. Il me semble que nous devrions avoir de plus grandes exigences dans des cas semblables.

☐ ***Mais le premier ministre Harper a estimé, lors d'une visite à Bogota, que ce n'était pas en braquant ces pays que nous allions les ramener dans le droit chemin, mais plutôt en les incitant de l'intérieur à changer.***

Il se fait carrément des illusions. S'il pense vraiment comme cela, pourquoi ne tente-t-il pas de signer un traité de libre-échange avec l'Iran ? M. Harper choisit qui sont les bons dictateurs et qui sont les mauvais ? Est-ce possible ? Cela ne tient pas la route.

Le Bloc Québécois a été un fervent défenseur de négociations multilatérales dans les Amériques. Les pays d'Amérique du Sud sont déjà regroupés au sein du Mercosur et du Pacte andin. Nous avons l'ALÉNA. Pourquoi ne pas viser un ensemble continental des Amériques ? Pas comme cela fut fait dans le cas de la ZLEA, mais plutôt en tout respect des pays et de la société civile et donc, en toute transparence.

Le Québec souverain pourrait être un facilitateur auprès de pays comme le Brésil, par exemple, ou même un précurseur parmi les pays d'Amérique du Nord. C'est dans notre intérêt de tisser des liens avec ces futurs grands marchés.

☐ ***Donc, pour les exportations québécoises, les investissements étrangers, notamment par la promotion des atouts du Québec, il nous faut absolument des ambassades, des consulats, des délégations commerciales à l'étranger ?***

Lorsque le Québec aura le contrôle de l'ensemble de sa diplomatie, il n'aura certainement pas le même discours que celui du gouvernement canadien. Ses intérêts sont différents comme je vous l'ai illustré maintes fois depuis le début de ces entretiens.

☐ ***Mais ne sommes-nous pas déjà présents sur la scène internationale avec nos délégations ?***

Oui, mais cela est modeste. Nos délégations ont bien moins de poids que des ambassades. Nous ne sommes pas présents au sein de la plupart des organisations internationales. Nous n'avons pas tout un appareil diplomatique pour soutenir à fond nos entreprises, nos artistes et les citoyens québécois dans le monde. Le Québec n'est pas très visible, il n'est pas très présent sur la scène mondiale.

☐ ***Le Québec souverain voudra certainement participer à la réforme des institutions financières internationales. De quelle façon ?***

Nous souhaitons mettre un terme à l'existence des paradis fiscaux. Nous avons mené une longue bataille aux Communes sur cette question. Nous souhaitons, comme je vous l'ai déjà dit, la création à l'échelle nord-américaine d'un Institut monétaire des Amériques. Je pense que cela est on ne peut plus pertinent en ce moment avec la parité entre le dollar canadien et le dollar américain. Par ailleurs, le Québec souverain sera sans doute un ardent promoteur du modèle coopératif, en matières financières aussi, avec le Mouvement Desjardins comme porte-étendard.

CONCLUSION

POUR EN FINIR AVEC LES ILLUSIONS

« J'appartiens, en effet, à un peuple un peu bizarre qui, de toute son histoire, n'a jamais connu la liberté collective dans sa plénitude – avec ses joies et aussi ses risques. De sujets du roi de France, nous sommes devenus sujets du roi d'Angleterre et nous voici, depuis 135 ans, sujets canadiens avec une sorte de demi-liberté, boitillant de la patte gauche, une chaîne dorée à la patte droite. En somme, nous avons toujours vécu plus ou moins en tutelle. Pour beaucoup d'entre nous – et pour tous à divers degrés – il est difficile de concevoir une autre façon de vivre. À ce point de vue, le Québec constitue une curiosité anthropologique. Depuis des générations, ses habitants souffrent, sans trop le savoir, de ce que j'appellerais le syndrome de l'oiseau élevé en cage. La vue des barreaux les frustre, mais en même temps les rassure. L'air libre les attire, mais les étourdit. »

– Yves Beauchemin, « Le mot de l'Académie - Liberté », *Le Devoir*, le 8 juillet 2002, p. A1.

☐ ***J'écoutais récemment Gilles Vigneault dans une entrevue où il affirmait que l'un de ses plus grands souhaits serait que les Québécois se débarrassent de la peur de la souveraineté. Les Québécois ont peur notamment de devenir pauvres en devenant indépendants.***

Le changement fait toujours peur. Et il faut dire que le peuple québécois y a goûté dans le passé. La Conquête, c'était aussi des fermes brûlées, du pillage, de la violence. Les Patriotes, ce fut encore une fois des granges brûlées et des hommes pendus. Lors de la première conscription, encore une fois, des hommes ont été fusillés. En 1970, ce furent les mesures de guerre. J'imagine que tout cela est un peu inscrit dans notre inconscient collectif. Mais il faut surmonter cette peur parce que, de l'autre côté, il n'y a rien d'emballant qui nous est offert. C'est même plutôt le contraire.

Si nous devons nous inquiéter comme nation, ce n'est pas de la souveraineté, c'est de l'avenir qui nous guette dans le Canada. Les Québécois doivent regarder la réalité en face et se défaire de leurs illusions.

Certains peuvent croire à la limite que même Trudeau avait offert quelque chose d'emballant avec son Canada bilingue et le *French power*. Nous pouvons dire cela. Il a soulevé l'enthousiasme de beaucoup de monde avant de devenir un des pires ennemis de la nation québécoise. Tout comme Jean Lesage avait soulevé l'enthousiasme de beaucoup de monde. Brian Mulroney, à un moment donné, a proposé quelque chose qui pouvait sembler intéressant pour le Québec, fondé sur l'honneur et l'enthousiasme, disait-il. Nous ne pouvons nier cela. Nous pouvions, certes, être contre les propositions de ces hommes politiques, mais nous ne pouvions nier qu'elles contenaient une part de rêve, une aspiration au mieux-être. Aujourd'hui, le Canada n'a plus rien de cela à nous offrir ; il a complètement fermé la porte. Plus personne ne peut proposer une place au Québec dans l'honneur et l'enthousiasme au sein du Canada. Ce n'est plus crédible.

C'est un grand changement. Parce qu'aujourd'hui, il faut bien réaliser que c'est le *statu quo* qui est devenu épeurant. Le trou noir dont parlait Jean Charest, en 1995, en référence à l'inconnu de la souveraineté, le trou noir c'est l'avenir du Québec s'il demeure dans le Canada. L'appauvrissement, c'est dans le Canada qu'il nous guette. Si nous devons nous inquiéter comme nation, ce n'est pas de la souveraineté, c'est de l'avenir qui nous guette dans le Canada. Les Québécois doivent regarder la réalité en face et se défaire de leurs illusions.

Toutes les actions et tous les gestes posés par le Bloc Québécois sont toujours accomplis en ayant en tête la question suivante : « Si nous étions un pays, que ferions-nous ? »

☐ ***Depuis l'adoption, en 1998, de* la Loi sur la clarté référendaire*, il me semble que la discussion n'a pas beaucoup avancé sur la question de la tenue d'un référendum. C'est comme si on faisait du sur-place. Même Lucien Bouchard estime qu'il ne verra pas la souveraineté de son vivant. Pourquoi ces hésitations du mouvement souverainiste ?***

Que l'on ne parle plus de la date d'un référendum ou d'une stratégie très précise et que l'on parle davantage du fond des choses, je suis entièrement d'accord avec Pauline Marois et avec le Parti Québécois là-dessus. Au Bloc, nous n'avons pas cessé de parler du fond des choses. Notre congrès de 2005 s'intitulait « Imaginer le Québec souverain ». Au cours des campagnes électorales, nous parlons du pays du Québec, de la politique étrangère du Québec.

Toutes les actions et tous les gestes posés par le Bloc Québécois sont toujours accomplis en ayant en tête la question suivante : « Si nous étions un pays, que ferions-nous ? »

Quant à Lucien, il a déclaré qu'il demeurait souverainiste et, dans une entrevue toute récente[64], qu'il allait peut-être voir la souveraineté de son vivant, s'il mourait vieux ! Il a rajouté que ça ne pouvait plus continuer comme ça, qu'il fallait qu'il y ait quelqu'un qui s'en occupe et que le plus tôt serait le mieux. J'espère qu'il mourra très vieux et que nous réaliserons la souveraineté au plus tôt. Si nous avions dit à Lucien, en 1987, alors qu'il était ministre fédéral, qu'il allait créer trois ans plus tard un parti souverainiste, il ne nous aurait pas crus.

Je vous l'ai déjà dit : il y a dans la vie politique des décennies qui ne valent pas une journée et des heures qui valent plusieurs décennies. La souveraineté peut advenir au moment où l'on s'y attend le moins. Et puis, si le Bloc remporte chacune des élections avec 40 ou 50 députés, cela doit certainement signifier quelque chose.

Par ailleurs, nous ne pouvons pas demander aux gens de dire qu'ils croient que la souveraineté va se faire alors que Jean Charest est au pouvoir. M. Charest a été amené au Parti libéral pour empêcher la souveraineté. L'espoir va reprendre ses droits quand le Parti Québécois va reprendre le pouvoir.

☐ ***Il y a une chose qui me frappe à propos de la position du Québec dans le Canada. Pendant la Révolution tranquille, le Québec – M. Parizeau l'explique bien dans son dernier bouquin,* La souveraineté du Québec, Hier, aujourd'hui et demain *– s'est démarqué face à Ottawa sur les plans moraux et financiers en créant, par exemple, une Régie des rentes du Québec distincte* du Canada Pension Plan *et en se retirant de 29 programmes conjoints avec pleine compensation. Le Québec devenait peu à peu une sorte de gouvernement distinct. Alors moi, aujourd'hui,***

---

64 Entrevue diffusée le 21 juin 2010 sur le réseau TVA.

je trouve cela un peu illogique, même aberrant, de continuer à faire comme si nous étions un pays distinct tout en maintenant les attaches au Canada. Et je ne comprends pas que cette contradiction-là, qui me paraît tellement évidente, ne semble pas frapper la population du Québec.

C'est-à-dire que cette contradiction frappe minimalement 40 % de la population du Québec, un pourcentage qui a grimpé à 49,6 % en 1995 en dépit des dépenses importantes faites par le camp adverse pour contrer le « oui ». Nous savons que la majorité des gens d'affaires ne veulent pas de changement. Est-ce que ce phénomène est particulier à la société québécoise ? Je ne pense pas. Partout dans le monde et au cours de l'Histoire l'*establishment* veut rarement du changement. La Révolution tranquille fut un peu différente à cet égard en raison du discrédit général qui pesait sur l'Union nationale. Mais même là, plusieurs s'opposaient au changement. Même Trudeau était contre la nationalisation de l'électricité. Le milieu des affaires et *La Presse* se sont aussi et encore une fois opposés aux grands changements de l'Histoire du Québec telles la *Charte de la langue française* (loi 101), l'assurance-automobile de Lise Payette, la CSST, et j'en passe. Il n'y a rien là de bien surprenant. Par ailleurs, lorsque ces changements se font malgré eux, laissez-moi vous dire qu'ils s'adaptent très vite !

Encore une fois, on a l'impression que rien ne se passe parce que nous avons le nez collé sur les événements. Mais le Québec a radicalement changé depuis 1960. Et vingt ans après Meech, le Canada a changé ; il est passé à autre chose et beaucoup de Québécoises et de Québécois vont bien finir par le réaliser et renoncer à leur illusion canadienne. Rien n'est réglé pour le Québec comme Lucien l'affirmait lui-même dans cette entrevue dont je vous parlais.

☐ *Qu'est-ce qui ferait renoncer ces Québécoises et ces Québécois à cette illusion dont vous parlez ?*

D'abord, tout n'est pas à jeter. Cette illusion, qui veut que ce soit possible un jour de changer le fédéralisme canadien pour répondre aux aspirations du Québec, contient une part de rêve et d'espoir. Il y a les aspirations du Québec et cette volonté de s'entendre avec le Canada. Je partage ces aspirations et j'ai démontré mon désir de m'entendre avec le Canada. Mais j'ai réalisé il y a longtemps que pour concrétiser nos aspirations comme peuple et pour dialoguer et s'entendre avec le Canada, il faut d'abord passer par la souveraineté. C'est ce que nous devons faire comprendre aux Québécois qui hésitent encore. Il suffit que les Québécois écoutent les Canadiens et ils se déferont de cette illusion.

Mais j'ai réalisé il y a longtemps que pour concrétiser nos aspirations comme peuple et pour dialoguer et s'entendre avec le Canada, il faut d'abord passer par la souveraineté. C'est ce que nous devons faire comprendre aux Québécois qui hésitent encore. Il suffit que les Québécois écoutent les Canadiens et ils se déferont de cette illusion.

☐ ***Pendant ces conversations, je me suis rendu compte que je cherchais surtout à vous faire expliquer les raisons rationnelles qui justifient de faire l'indépendance du Québec. Mais il doit aussi y avoir des raisons irrationnelles, non ?***

La souveraineté, c'est une affaire de cœur avant tout. Nous voulons d'abord pouvoir être ce que nous sommes. Ce n'est pas que nous nous croyons meilleurs que les autres. Pas du tout. Quand j'entends certains clamer que leur pays est le meilleur pays du monde, cela m'énerve. Je n'accepte pas ce genre de rhétorique. Autant j'ai la conviction que chaque nation doit pouvoir s'exprimer librement, autant je suis extrêmement méfiant face à des formes de nationalisme susceptibles de mener à des dérives épouvantables. Nous l'avons hélas vu au cours de l'Histoire de l'humanité.

Or, quand vous les entendez nous mettre en garde contre le nationalisme et en même temps affirmer haut et fort que leur pays est « le meilleur du monde », vous vous rendez vite compte que ce sont eux qui tombent dans l'excès.

Mais puisque vous me parlez d'émotion, je vous réponds que ce qui m'emballerait le plus en politique ce serait de travailler sur des projets destinés à transformer le Québec. Il n'y a pas que du rationnel dans ce désir ; il y a aussi de l'émotion. Il y a tant de belles et grandes choses que nous pourrions faire, mais que nous ne pouvons faire parce qu'actuellement nous n'avons pas les outils.

Je vous réponds que ce qui m'emballerait le plus en politique ce serait de travailler sur des projets destinés à transformer le Québec. Il n'y a pas que du rationnel dans ce désir ; il y a aussi de l'émotion. Il y a tant de belles et grandes choses que nous pourrions faire, mais que nous ne pouvons faire parce qu'actuellement nous n'avons pas les outils.

Et il y a aussi les rendez-vous plus émotifs comme, pour moi et de nombreux amateurs de sports, les Jeux olympiques. Imaginez un peu une finale olympique au hockey avec l'équipe nationale du Québec. Imaginez l'émotion, gagne ou perd. Ce serait cela aussi, la souveraineté. Parfois nous gagnerions, parfois nous perdrions. Tandis qu'en ce moment, lorsque l'équipe canadienne gagne ou perd avec un ou deux Québécois dans ses rangs, l'émotion n'est pas la même, la fierté d'exister dans le monde en tant que Québécois n'est pas tout à fait là.

☐ ***Si je comprends bien, vous ne prendriez pas votre retraite après un référendum victorieux.***

Cela dépend. Si c'est dans quinze ans, il y a de bonnes chances que je sois à la retraite… Mais nous pourrions faire tant de belles choses au Québec si nous n'étions pas menottés par Ottawa.

☐ *Par exemple ?*

Par exemple, la main-d'œuvre. Nous avons beau vouloir aujourd'hui récupérer toute la gestion de notre main-d'œuvre, nous sommes paralysés à bien des égards parce que l'assurance-emploi relève d'Ottawa. Il faut comprendre qu'une politique de la main-d'œuvre dans son ensemble va de pair avec la politique industrielle d'un pays. Si nous avions le contrôle de ces deux politiques, nous n'aurions pas à nous casser la tête avec les réactions ou les refus d'Ottawa.

Nous pourrions décider de donner un grand coup pour encourager l'apprentissage des langues au Québec. Ce serait possible parce qu'il n'y aurait plus d'entraves politiques à l'apprentissage de l'anglais. Je connais beaucoup de personnes qui ont refusé d'apprendre l'anglais parce qu'elles ne voulaient pas être *Canadian*. Nous n'aurions plus cette peur dans un Québec souverain.

Nous pourrions aussi nous dire que le Saint-Laurent est une autoroute bleue et que nous pouvons faire quelque chose avec cette immense voie fluviale. Nous pourrions faire du fleuve la grande porte d'entrée du commerce continental. Plutôt que de passer par Halifax, ce commerce passerait par chez nous.

Nous pourrions prendre la parole dans les grands organismes et les grands débats internationaux et dire ce que nous avons à dire sur les grands enjeux planétaires.

Et nous pourrions rapidement mener à terme ce grand chantier de l'indépendance énergétique. Il y a tant à faire et nous perdons tellement de temps et d'énergie à résister au rouleau compresseur fédéral.

☐ ***Mais les Québécois qui ont peur de faire l'indépendance ne voient guère les choses de cette façon. Ils sont persuadés qu'il y a quelque chose à perdre à faire l'indépendance. Qu'y a-t-il à perdre ?***

Pour nous ? Je ne vois pas ce qu'il y a à perdre. Nous avons, au contraire, tout à gagner à faire l'indépendance. Je ne dis pas que le Québec deviendra le paradis sur terre. Non. Nous aurions des échecs et des succès comme n'importe quel autre pays. Les États-Unis actuellement connaissent de graves problèmes économiques. Le chômage est élevé, le déficit énorme et il y a ce désastre pétrolier qui se rajoute à tout ça. Mais est-ce que pour cette raison les Américains veulent s'intégrer au Canada ou au Mexique ?

Nous avons, au contraire, tout à gagner à faire l'indépendance. Je ne dis pas que le Québec deviendra le paradis sur terre. Non. Nous aurions des échecs et des succès comme n'importe quel autre pays.

Voyons ! Soyons sérieux ! Depuis quand une nation devrait renoncer à prendre ses propres décisions en fonction de ses intérêts, en fonction de ce qu'elle est ?

☐ ***Par ailleurs, parlant de peurs, est-ce que le vieillissement de la population au Québec et l'endettement sont de gros obstacles à la réalisation de la souveraineté ?***

Actuellement, tous les pays occidentaux ont ce problème de vieillissement de la population. Or, nous voyons qu'avec de bonnes politiques natalistes, nous pouvons, en partie, faire échec à cette tendance. Au Québec, même sans avoir en main tous les moyens pour régler ce problème, il y a eu certains progrès, un regain de la natalité. Les garderies à sept dollars et la politique de congés parentaux ne sont certainement pas étrangères à cela. Mais comme je l'ai dit, il a fallu se battre pendant des années contre Ottawa pour les congés parentaux et nous laissons 250 millions de dollars par année sur la table pour notre politique de garderies. On peut donc dire qu'en la matière, notre appartenance au Canada a aggravé le problème.

Reste que si la population vieillit, il y a moins de monde pour soutenir le filet social et participer à l'économie. Il nous faut donc trouver des façons de propulser notre économie autrement que par la croissance de la population. Pour ma part, je suis persuadé que de réduire notre dépendance au pétrole, c'est un projet de société fabuleux qui nous permettra de nous enrichir considérablement. Et il y a toutes les politiques dont je vous ai parlé précédemment, comme la formation de la main-d'œuvre avec l'assurance-emploi, toutes choses que nous pourrons faire dans un Québec souverain.

Quant à la dette du Québec, je ne partage pas l'analyse de ceux qui affirment que nous sommes au bord de la faillite technique, ni d'ailleurs de ceux qui affirment qu'on ne doit pas se préoccuper de ce problème. J'ai fait travailler notre service de recherche là-dessus et ensuite Jacques Léonard[65] s'y est mis quand il était avec le Bloc Québécois et il a fait un travail très rigoureux qui montre que l'endettement du Québec, comme pays souverain, serait dans la moyenne des pays de l'OCDE. Ce qu'il faut prendre en considération, ce n'est pas la dette brute, mais bien la dette nette. Prenons l'exemple de la Norvège qui a une dette brute qui se situe à 45 % de son PIB, ce qui la situe dans la moyenne. Mais si l'on prend la dette nette de ce pays, elle se situe à moins 125 % du PIB norvégien. En d'autres termes, si la Norvège payait toute sa dette demain matin, il lui resterait encore quelques centaines de milliards dans ses coffres.

Or, si nous prenons en considération la dette nette du Québec, nous nous rendons à l'évidence que nous sommes en milieu de peloton des pays de l'OCDE. Le Québec souverain pourra économiser des milliards simplement en éliminant les dédoublements. Et puis, notre dette ne servirait pas à enrichir les autres. N'oublions pas que des 10 milliards qu'Ottawa a versés au secteur de l'auto, le Québec y a contribué à hauteur de 20 %. Autrement dit, le Québec s'est endetté de deux milliards pour sauver le secteur de l'auto en Ontario. Je ne suis pas sûr que nous puissions qualifier cela de bonne dette. La dette du Québec n'est pas un obstacle à l'indépendance.

☐ ***Quel sera le rôle du Bloc Québécois lors d'une prochaine campagne référendaire ?***

Je pense que le Bloc Québécois participera à cette campagne d'égal à égal avec tous ses partenaires, c'est-à-dire avec le Parti Québécois et tous ceux qui voudront se joindre à notre camp.

---

65 Député et ministre sous le gouvernement du Parti Québécois, Jacques Léonard a occupé plusieurs postes importants, dont la présidence du Conseil du Trésor de 1995 à 2001. Il a été vice-président du Bloc Québécois d'octobre 2007 à janvier 2009.

Nous avons chacun nos forces. Le Bloc possède une expertise très forte en ce qui a trait aux enjeux débattus au Parlement fédéral et nous sommes très présents à l'international.

Je pense également, face au reste du Canada, que nous aurions un rôle à jouer. C'est une dimension qui a été négligée dans le passé. Nous répondrions aux interrogations du reste du Canada. Nous leur parlerons. Nous irons directement sur le terrain. Pour le reste, nous mettrons nos meilleurs joueurs sur la patinoire, peu importe qu'ils soient du Bloc Québécois ou du Parti Québécois. Tout dépendra des qualités de chacun et de chacune.

Comme je le dis souvent, avant d'être bloquistes ou péquistes, nous sommes souverainistes. Certains, dans les régions du Québec, s'imposent plus que d'autres. Cela étant dit, c'est le gouvernement du Parti Québécois qui donnera le signal de départ. Un référendum, c'est à Québec que cela se décide et, en dernier ressort, ce sera la responsabilité de Pauline Marois.

Mais lorsque nous aurons franchi le Rubicon, lorsque nous aurons pris la décision de devenir un pays, ces divisions seront choses du passé. Je n'ai jamais vu dans l'Histoire de l'humanité un peuple reculer là-dessus. En fait, vous avez raison, la seule façon de mettre fin à cette division des Québécois, c'est de faire la souveraineté.

□ *Une dernière chose. Dans un discours prononcé à Toronto en 2005, Michael Ignatieff affirmait que le principal argument contre la séparation du Québec était, et je le cite, « qu'elle divise les Québécois entre eux ». Moi, je lui répondrais que le principal argument contre le fédéralisme canadien est qu'il divise les Québécois.*

L'affirmation d'Ignatieff est complètement ridicule ! Je suis justement en train de lire un livre sur lui. Bien sûr que la question nationale divise les Québécois, puisque certains sont fédéralistes et d'autres souverainistes. Mais lorsque nous aurons franchi le Rubicon, lorsque nous aurons pris la décision de devenir un pays, ces divisions seront choses du passé. Je n'ai jamais vu dans l'Histoire de l'humanité un peuple reculer là-dessus. En fait, vous avez raison, la seule façon de mettre fin à cette division des Québécois, c'est de faire la souveraineté.

☐ ***Avant de clore ces entretiens, Gilles Duceppe, y a-t-il quelque chose que vous aimeriez absolument ajouter et que vous n'avez pas eu l'occasion d'exprimer tout au long de nos rencontres ?***

Je ne voudrais absolument pas que se concrétisent les paroles de cette belle et terrible chanson de Marc Gélinas et Gilles Richer qui s'intitule *Mommy* et dans laquelle le narrateur demande à sa mère en anglais pourquoi avons-nous perdu la partie. Je regarde mes petits-enfants et je pense à leurs enfants. Vont-ils se faire dire un jour : « *Could you say a few words in french for me*? » Cela serait terrible ! Terrible !

Les Québécois ont résisté tout au cours de leur histoire. Lorsque je regarde tous ces efforts qui ont été faits par tant de gens avant nous, je pense que nous avons le devoir de continuer à nous battre pour survivre et nous accomplir, pour devenir un pays. Un pays normal.

Lorsque je regarde tous ces efforts qui ont été faits par tant de gens avant nous, je pense que nous avons le devoir de continuer à nous battre pour survivre et nous accomplir, pour devenir un pays. Un pays normal.

BIOGRAPHIE

DE GILLES DUCEPPE

Né le 22 juillet 1947, Gilles Duceppe a grandi à Montréal dans une famille empreinte de solidarité. Jeune, il a pratiqué de nombreux sports et appris très tôt la valeur du travail d'équipe. Il a milité dans le mouvement étudiant pour la justice sociale et en faveur de la souveraineté du Québec. Après avoir été vice-président de l'Union générale des étudiants et étudiantes du Québec (UGEQ) en 1968 et 1969, il a été directeur du journal *Quartier Latin* de 1970 à 1971. Ses convictions l'ont ensuite amené vers les milieux syndical et communautaire, où il a notamment agi comme conseiller syndical à la Confédération des syndicats nationaux.

Élu pour la première fois député de Laurier–Sainte-Marie à la Chambre des communes en 1990, Gilles Duceppe est le premier député élu sous une bannière souverainiste à siéger à Ottawa. Il a occupé les fonctions de porte-parole du Bloc Québécois en matière d'affaires indiennes, de multiculturalisme, de défense, de travail, d'emploi et d'immigration, de condition féminine et d'anciens combattants, avant d'occuper les fonctions de whip en chef de l'Opposition officielle en 1993.

Gilles Duceppe a été élu chef du Bloc Québécois le 15 mars 1997, à la suite d'un vote au suffrage universel des membres. Il avait auparavant été nommé chef du Bloc Québécois et chef de l'Opposition officielle par intérim, en

1996, de même que leader parlementaire de l'Opposition officielle en février 1997.

En plus de son travail de parlementaire, Gilles Duceppe a occupé les fonctions de membre suppléant à la commission Bélanger-Campeau, de membre de l'exécutif national du Mouvement Québec, de président de la campagne de financement du Bloc Québécois en 1993 et de coprésident de la campagne référendaire de 1995.

Marié à Yolande Brunelle et père de deux enfants, Alexis et Amélie, Gilles Duceppe détient un baccalauréat ès arts du Collège Mont-Saint-Louis et a étudié les sciences politiques à l'Université de Montréal.

TABLE DES MATIÈRES

AVANT-PROPOS DE GILLES DUCEPPE 7

AVANT-PROPOS DE GILLES TOUPIN 11

CHAPITRE I
L'ACCÉLÉRATION DE L'HISTOIRE 21

CHAPITRE II
LE BLOC QUÉBÉCOIS, UNE FORCE STRATÉGIQUE 65

CHAPITRE III
LE « COMMIS VOYAGEUR » DE LA SOUVERAINETÉ
OU PROPHÈTE DANS L'AUTRE PAYS 97

CHAPITRE IV
LA NATION QUÉBÉCOISE EN QUESTION 129

CHAPITRE V
D'UN PAYS À L'AUTRE 151

CHAPITRE VI
LA SOUVERAINETÉ POUR GAGNER
DANS LE MONDE ACTUEL 171

CONCLUSION
POUR EN FINIR AVEC LES ILLUSIONS 209

BIOGRAPHIE 223

   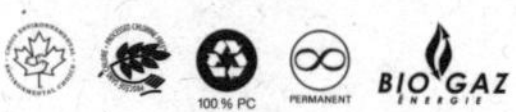

L'intérieur de ce livre est imprimé sur un papier fait au Québec et certifié ÉcoLogo[mc]. Ce papier contient 100 % de fibres recyclées post-consommation, en plus d'être blanchi sans chlore et fabriqué sans acide, à partir de biogaz récupérés.